O CONSOLADOR

Francisco Cândido Xavier

O CONSOLADOR

Pelo Espírito Emmanuel

Copyright © 1940 *by*
FEDERAÇÃO ESPÍRITA BRASILEIRA – FEB

29ª edição – 16ª impressão – 3 mil exemplares – 5/2025

ISBN 978-85-7328-781-3

Todos os direitos reservados. Nenhuma parte desta publicação pode ser reproduzida, armazenada ou transmitida, total ou parcialmente, por quaisquer métodos ou processos, sem autorização do detentor do *copyright*.

FEDERAÇÃO ESPÍRITA BRASILEIRA – FEB
SGAN 603 – Conjunto F – Avenida L2 Norte
70830-106 – Brasília (DF) – Brasil
www.febeditora.com.br
editorial@febnet.org.br
+55 61 2101 6161

Pedidos de livros à FEB
Comercial
Tel.: (61) 2101 6161 – comercial@febnet.org.br

Todo o papel empregado nesta obra possui certificação FSC® sob responsabilidade do fabricante obtido através de fontes responsáveis.
* marca registrada de Forest Stewardship Council

Adquirindo esta obra, você está colaborando com as ações de assistência e promoção social da FEB e com o Movimento Espírita na divulgação do Evangelho de Jesus à luz do Espiritismo.

Dados Internacionais de Catalogação na Publicação (CIP)
(Federação Espírita Brasileira – Biblioteca de Obras Raras)

E54c   Emmanuel (Espírito)

    O consolador / pelo Espírito Emmanuel; [psicografado por] Francisco Cândido Xavier. – 29. ed. – 16. imp. – Brasília: FEB, 2025.

    312 p.; 21 cm – (Coleção Emmanuel)

    Inclui índice geral

    ISBN 978-85-7328-781-3

    1. Espiritismo. 2. Obras psicografadas. I. Xavier, Francisco Cândido, 1910–2002. II. Federação Espírita Brasileira. III. Título. IV. Coleção.

CDD 133.93
CDU 133.7
CDE 20.03.00

SUMÁRIO

Definição 9
1 Ciência 13
  1.1 Ciências fundamentais 17
    1.1.1 Química 18
    1.1.2 Física 23
    1.1.3 Biologia 29
    1.1.4 Psicologia 36
    1.1.5 Sociologia 41
  1.2 Ciências abstratas 53
  1.3 Ciências especializadas 55
  1.4 Ciências combinadas 61
  1.5 Ciências aplicadas 67
2 Filosofia 81
  2.1 Vida 85
    2.1.1 Aprendizado 85

2.1.2 Experiência 92
2.1.3 Transição 101
2.2 Sentimento 111
2.2.1 Arte 111
2.2.2 Afeição 118
2.2.3 Dever 124
2.3 Cultura 133
2.3.1 Razão 133
2.3.2 Intelectualismo 137
2.3.3 Personalidade 142
2.4 Iluminação 147
2.4.1 Necessidade 147
2.4.2 Trabalho 152
2.4.3 Realização 156
2.5 Evolução 163
2.5.1 Dor 163
2.5.2 Provação 167
2.5.3 Virtude 170
3 Religião 177
3.1 Velho Testamento 181
3.1.1 Revelação 181
3.1.2 Lei 185
3.1.3 Profetas 188

3.2 Evangelho 193
3.2.1 Jesus 193
3.2.2 Religiões 197
3.2.3 Ensinamentos 203
3.3 Amor 213
3.3.1 União 213
3.3.2 Perdão 219
3.3.3 Fraternidade 224
3.4 Espiritismo 231
3.4.1 Fé 231
3.4.2 Prosélitos 236
3.4.3 Prática 241
3.5 Mediunidade 247
3.5.1 Desenvolvimento 247
3.5.2 Preparação 251
3.5.3 Apostolado 257
Nota à primeira edição 265
Índice geral 271

DEFINIÇÃO

Na reunião de 31 de outubro de 1939, no Grupo Espírita Luís Gonzaga, de Pedro Leopoldo, um amigo do plano espiritual lembrou aos seus componentes a discussão de temas doutrinários, por meio de perguntas nossas à entidade Emmanuel, a fim de ampliar-se a esfera dos nossos conhecimentos.

Consultado sobre o assunto, o Espírito Emmanuel estabeleceu um programa de trabalhos a ser executado pelo nosso esforço, que foi iniciado pelas duas questões seguintes:

— Apresentando o Espiritismo, na sua feição de Consolador prometido pelo Cristo, três aspectos diferentes: científico, filosófico, religioso, qual desses aspectos é o maior?

— Podemos tomar o Espiritismo, simbolizado desse modo, como um triângulo de forças espirituais.

A Ciência e a Filosofia vinculam à Terra essa figura simbólica, porém, a Religião é o ângulo divino que a liga ao céu. No seu aspecto científico e filosófico, a Doutrina será sempre um campo nobre de investigações humanas, como outros movimentos coletivos, de natureza intelectual, que visam ao aperfeiçoamento da humanidade. No aspecto religioso, todavia, repousa a sua grandeza divina, por constituir a restauração do Evangelho de Jesus Cristo, estabelecendo a renovação definitiva do homem, para a grandeza do seu imenso futuro espiritual.

— A fim de intensificar os nossos conhecimentos, relativamente ao tríplice aspecto do Espiritismo, poderemos continuar com as nossas indagações?

— Podereis perguntar, sem que possamos nutrir a pretensão de vos responder com as soluções definitivas, embora cooperemos convosco da melhor vontade.

Aliás, é pelo amparo recíproco que alcançaremos as expressões mais altas dos valores intelectivos e sentimentais.

Além do túmulo, o Espírito desencarnado não encontra os milagres da sabedoria, e as novas realidades do plano imortalista transcendem aos quadros do conhecimento contemporâneo, conservando-se numa esfera quase inacessível às cogitações humanas, escapando, pois, às nossas possibilidades de exposição, em face da ausência de comparações analógicas, único meio de impressão na tábua de valores restritos da mente humana.

Além do mais, ainda nos encontramos num plano evolutivo, sem que possamos trazer ao vosso círculo de aprendizado as últimas equações, nesse ou naquele setor de investigação e de análise. É por essa razão que somente poderemos cooperar convosco sem a presunção da palavra derradeira. Considerada a nossa contribuição nesse conceito indispensável de relatividade, buscaremos concorrer com a nossa modesta parcela de experiência, sem nos determos no exame técnico das questões científicas, ou no objeto das polêmicas da Filosofia e das religiões, sobejamente movimentados nos bastidores da opinião, para considerarmos tão somente a luz espiritual que se irradia de todas as coisas e o ascendente místico de todas as atividades do espírito humano dentro de sua abençoada escola terrestre, sob a proteção misericordiosa de Deus.

As questões apresentadas foram as mais diversas e numerosas. Todos os componentes do grupo, bem como outros amigos espíritas de diferentes pontos cooperaram no acervo das perguntas, ora manifestando as suas necessidades de esclarecimento íntimo, no estudo do Evangelho, ora interessados em assuntos novos que as respostas de Emmanuel suscitavam.

Em seguida, o autor espiritual selecionou as questões, deu-lhes uma ordem, catalogou-as em cada assunto particularizado, e eis aí o novo livro.

Que as palavras sábias e consoladoras de Emmanuel proporcionem a todos os companheiros de Doutrina o mesmo bem espiritual que nos fizeram, são os votos dos modestos trabalhadores do Grupo Espírita Luís Gonzaga, de Pedro Leopoldo, Minas Gerais.

Pedro Leopoldo (MG), 8 de março de 1940.

1 CIÊNCIA

1. Tem o Espiritismo absoluta necessidade da Ciência terrestre?

— Essa necessidade de modo algum pode ser absoluta. O concurso científico é sempre útil, quando oriundo da consciência esclarecida e da sinceridade do coração. Importa considerar, todavia, que a ciência do mundo, se não deseja continuar no papel de comparsa da tirania e da destruição, tem absoluta necessidade do Espiritismo, cuja finalidade divina é a iluminação dos sentimentos, na sagrada melhoria das características morais do homem.

1.1 CIÊNCIAS FUNDAMENTAIS

2. Se reconhecermos a Química, a Física, a Biologia, a Psicologia e a Sociologia como as cinco ciências fundamentais, qual será a posição da ciência da vida, em relação às demais?

— A Química e a Física, estudando a ação íntima dos corpos, suas relações entre si e as suas propriedades, constituem a catalogação dos valores da Ciência material. A Psicologia e a Sociologia, examinando a paisagem dos sentimentos e os problemas sociais, representam a tábua de classificação das conquistas da Ciência intelectual. No centro de todas está a Biologia, significando a Ciência da vida em suas profundezas, revelando a transcendência da origem — o Espírito, o Verbo divino.

Até agora, a Biologia está igualmente encarcerada nas escolas materialistas da Terra, porém, nas suas expressões mais legítimas, evolverá para Deus, com as suas demonstrações sublimes, cumprindo-nos reconhecer que, mesmo na atualidade, seus enigmas profundos são os mais nobres apelos à realidade espiritual e ao exame das fontes divinas da existência.

1.1.1 Química

3.   No campo da Química, as forças do plano espiritual auxiliam o homem terrestre?

— Os prepostos de Jesus espalham-se por todos os setores do trabalho humano e, em todos os tempos, cooperaram com o homem no seu esforço de aperfeiçoamento; aliás, os estudiosos e os cientistas do planeta não criaram os fenômenos químicos, que sempre existiram desde a aurora dos tempos, afirmando uma inteligência superior.

Os homens, em verdade, aprenderam a Química com a natureza, copiaram as suas associações, desenvolvendo a sua esfera de estudos e inventaram uma nomenclatura, reduzindo os valores químicos, sem lhes apreender a origem divina.

4.   Nos estudos da Química, avaliam-se em cerca de um quarto de milhão as substâncias da Terra, que podem ser reduzidas, aproximadamente, como originárias de noventa elementos. Quando os estudos dessa ciência forem ampliados, poderão reduzir-se, ainda mais, as fontes de origem?

— A Química necessita apresentar essa divisão de elementos para a catalogação dos valores educativos, com vistas às investigações de natureza científica, no mundo; contudo, se na sua base estão os átomos, na mais vasta expressão de diversidade, mesmo assim tenderá sempre para a unidade substancial, em remontando com as verdades espirituais às suas fontes de origem.

Aliás, em se tratando das individuações químicas, já conheceis que o hidrogênio, no quadro dos conhecimentos terrestres, é o elemento mais simples de todos. Seu átomo é a forma primordial da matéria planetária, constituindo-se do sistema absolutamente simplificado, porque composto de um só elétron, de onde partem as demais individuações no mecanismo evolutivo da matéria, em suas expressões rudimentares.

5. Nos chamados movimentos brownianos e nas afinidades moleculares poderemos observar manifestações de espiritualidade?

— Nos chamados movimentos brownianos, bem como nas atrações moleculares, ainda não poderemos ver, propriamente, manifestações de espiritualidade, como princípio de inteligência, mas fenômenos rudimentares da vida em suas demonstrações de energia potencial, na evolução da matéria, a caminho dos princípios anímicos, sob a bênção de luz da natureza divina.

6. Houve uma unidade material para a formação das várias expressões orgânicas existentes na Terra?

— Assim como o químico humano encontra no hidrogênio a fórmula mais simples para estabelecer a rota de suas comparações substanciais, os Espíritos que cooperaram com o Cristo, nos primórdios da organização planetária, encontraram, no protoplasma, o ponto de início para a sua atividade realizadora, tomando-o como base essencial de todas as células vivas do organismo terrestre.

7. Existe uma lei de progresso para a individuação química?

— Na conceituação dos valores espirituais, a Lei é de evolução para todos os seres e coisas do universo. As individuações químicas possuem igualmente a sua rota para obtenção das primeiras expressões anímicas, sendo justo observarmos que, no círculo industrial, a individuação é trabalhada pelos processos mais grosseiros, até que possa ser aproveitada pelo agente invisível na química biológica, onde entra em novo ciclo vital, na ascensão para o seu destino.

8. Qual a diferença observada pelos Espíritos entre a Química biológica e a industrial?

— Na primeira preponderam os ascendentes espirituais, em todas as organizações; ao passo que na segunda todos os fatores podem ser de atuação propriamente material.
Nisso reside a grande diferença. É que, na intimidade da célula orgânica, o fenômeno da vida submete-se a um agente divino, em sua natureza profunda, e, nos compostos industriais, as combinações químicas podem obedecer a um agente humano.

9. A radioatividade opera a destruição ou a evolução da matéria?

— Por meio da radioatividade, verifica-se a evolução da matéria. É nesse contínuo desgaste que se observam os processos de transformação das individuações químicas, convertidas em energia, movimento, eletricidade, luz, na ascensão para novas modalidades evolutivas, em obediência às leis que regem o universo.

10. Onde a fonte de energia para a matéria, de vez que a radioatividade opera incessantemente, trabalhando as suas forças?

— O Sol é essa fonte vital para todos os núcleos da vida planetária. Todos os seres, como todos os centros em que se processam as forças embrionárias da vida, recebem a renovação constante de suas energias através da chuva incessante dos átomos, que a sede do sistema envia à sua família de mundos, equilibrados na sua atração, dentro do Infinito.

11. Como deveremos compreender a assertiva dos químicos: "nada se cria, nada se perde"?

— Em verdade, o espírito humano não cria a vida, atributo de Deus, fonte da criação infinita e incessante; contudo, se o homem não pode criar o fluido da vida, nada se perde da obra de Deus em torno dele, porque todas as substâncias se transformam na evolução para mais alto.

12. Em face da exatidão com que se efetuam as combinações naturais da Química orgânica, como entender as diversas expressões da natureza em seus primórdios?

— As expressões diversas da natureza terrestre, em suas primitivas agregações moleculares, obedeceram ao pensamento divino dos prepostos de Jesus, quando nas manifestações iniciais da vida sobre a crosta do orbe.

Remontando a essas origens profundas, podeis observar, então, o esforço dos Espíritos sábios do plano invisível, na manipulação dos valores da Química biológica nos primórdios da vida planetária, estabelecendo a caracterização definitiva dos processos da natureza na fixação das espécies, prevendo todo mecanismo da evolução no futuro, e entregando o seu trabalho às leis da seleção natural que, sob a égide de Jesus, prosseguiriam no aperfeiçoamento da obra terrestre através do tempo.

13. As forças espirituais organizaram igualmente a atmosfera do mundo?

— Isso é indubitável. A inteligência com que foram dispostos os elementos do cenário, para o desenvolvimento da vida no planeta, vo-lo comprova.

A algumas dezenas de quilômetros foram colocados os revestimentos do ozônio, destinados a filtrar os raios solares, dosando-lhes a natureza para a proteção da vida.

Da atmosfera recebeis a maior porcentagem de nutrição para o entretenimento das células.

E como o nosso escopo não é o de citações eruditas, nem o de redizer os preceitos científicos do mundo, lembremos que um homem, na manutenção da sua vida orgânica, necessita de regular quantidade de oxigênio, quinze gramas de azoto (alimentar) e quinhentos gramas de carbono (alimentar). O oxigênio é uma dádiva de Deus para todas as criaturas; quanto ao azoto e ao carbono, é pela sua obtenção que o homem luta afanosamente na Terra, recordando-nos a exortação dos textos sagrados ao Espírito que faliu: "comerás o pão com o suor do teu rosto".

O problema básico da nutrição, nessa conta de Química, é uma reafirmação da generosidade paterna do Criador e do estado expiatório em que se encontram as almas reencarnadas neste mundo.

14. Como compreender a afirmativa dos astrônomos relativamente à morte térmica do planeta?

— É certo que todo organismo material se transformará, um dia, revestindo novas formas. As energias do Sol, como as forças telúricas do orbe terrestre, serão esgotadas aqui, para surgirem noutra parte. Alguns astrônomos calculam a morte térmica do planeta para daqui a um milhão de anos, aproximadamente.

Já se disse, porém, que a vida é o eterno presente. E o nosso primeiro dever não é o de contar o tempo, demarcando, em bases inseguras, a duração das obras conhecidamente transitórias, mas o de valorizá-lo como oportunidade sagrada para as edificações definitivas do nosso Espírito, as quais são inacessíveis a todas as transformações da matéria, em face do Infinito.

1.1.2 Física

15. Existem Espíritos especialmente encarregados da execução das leis físicas no planeta terrestre?

— Essa verdade é incontestável, e o homem poderá examinar e estudar constantemente, auferindo o melhor proveito na sua rotina de esforços perseverantes; porém, todas as definições do Materialismo serão inúteis em face da realidade irrefutável dos fatores transcendentes, em todos os grandes fenômenos físicos da natureza.

16. As novas revelações científicas positivadas pelos professores Thomson, Rutherford, Ramsay e Soddy, entre outros, no campo da Física, sobre os átomos e os elétrons, são passíveis de fornecer o exato conhecimento de todas as etapas da evolução anímica?

— A Ciência, propriamente humana, poderá estabelecer bases convencionais, mas não a base legítima, em sua origem divina, porquanto os átomos e os elétrons são fases de caracterização da matéria, sem constituírem o princípio nessa escala sem-fim, que se verifica, igualmente, para o plano dos infinitamente pequenos.

17. Como são considerados, no plano espiritual, os conhecimentos atuais da Física na Terra?

— As noções modernas da Física aproximam-se, cada vez mais, do conhecimento das leis universais, em cujo ápice repousa a Diretriz divina que governa todos os mundos.

Os sistemas antigos envelheceram. As concepções de ontem deram lugar a novas deduções. Estudos recentes da matéria vos fazem conhecer que os seus elementos se dissociam pela análise, que o átomo não é indivisível, que toda expressão material pode ser convertida em força e que toda energia volta ao reservatório do éter universal. Com o tempo, as fórmulas acadêmicas se renovarão em outros conceitos da realidade transcendente, e os físicos da Terra não poderão dispensar Deus nas suas ilações, reintegrando a natureza na sua posição de campo passivo, onde a inteligência divina se manifesta.

18. Onde o ponto imediato de observação para que a Física reconheça a existência de Deus?

— Desde o ponto inicial de suas observações, a Física é obrigada a reconhecer a existência de Deus em seus divinos atributos. Para demonstrar o sistema do mundo, o cientista não recorreu ao chamado "eixo imaginário"? Basta essa incógnita para que o homem seja conduzido a ilações mais altas, no domínio do transcendente.

A mecânica celeste prova a irrefutabilidade da teoria do movimento. O planeta move-se na imensidade. A matéria vibra nas suas mais diversificadas expressões.

Quem gerou o movimento? Quem forneceu o primeiro impulso vibratório no organismo universal?

A Ciência esclarece que a energia faz o movimento, mas a força é cega e a matéria não tem características de espontaneidade.

Só na Inteligência divina encontramos a origem de toda coordenação e de todo equilíbrio, razão pela qual, nas suas questões mais íntimas, a Física da Terra não poderá prescindir da lógica com Deus.

19. As noções de Física conhecidas pelos homens são definições reais e definitivas?

— Os homens possuem da matéria a conceituação possível de ser fornecida pela sua mente, compreendendo-se que o aspecto real do mundo não é aquele que os olhos mortais podem abranger, porquanto as percepções humanas estão condicionadas ao plano sensorial, sem que o homem consiga ultrapassar o domínio de determinadas vibrações.

Mergulhadas nas vibrações pesadas dos círculos da carne, as criaturas têm notícias muito imperfeitas do universo, em razão da exiguidade dos seus pobres cinco sentidos.

É por isso que o homem terá sempre um limite nas suas observações da matéria, força e movimento, não só pela deficiência de percepção sensorial, como também pela estrutura do olho, onde a Sabedoria divina delimitou as possibilidades humanas de análise, de modo a valorizar os esforços e iniciativas da criatura.

20. Como poderemos compreender o éter?

— Nos círculos científicos do planeta muito se tem falado do éter, sem que possa alguém fornecer uma imagem perfeita da sua realidade, nas convenções conhecidas.

E, de fato, o homem não pode imaginá-lo, dentro das percepções acanhadas da sua mente. Por nossa vez, não poderemos proporcionar a vós outros uma noção mais avançada, em vista da ausência de termos de analogia.

Se, como desencarnados, começamos a examiná-lo na sua essência profunda, para os homens da Terra o éter é quase uma abstração. De qualquer modo, porém, busquemos entendê-lo como fluido sagrado da vida, que se encontra em todo o cosmo; fluido essencial do universo, que, em todas as direções, é o veículo do Pensamento divino.

21. Pode a Física oferecer-nos elementos para apreciar o Plano divino da evolução?

— Também aí podereis observar a profunda beleza das leis universais. Ao sopro inteligente da Vontade divina, condensa-se a matéria cósmica no organismo do universo. Surgem as grandes massas das nebulosas e, em seguida, a família dos mundos, regendo-se em seus movimentos pelas leis do equilíbrio, dentro da atração, no corpo infinito do cosmo.

O ciclo da evolução apresenta aí um dos seus aspectos mais belos. Sob a diretriz divina, a matéria produz a força, a força gera o movimento, o movimento faz surgir o equilíbrio da atração e a atração se transforma em amor, identificando-se todos os planos da vida na mesma lei de unidade estabelecida no universo pela Sabedoria divina.

22. A substância é igual em todos os mundos? Como compreender a revelação dos espectroscópios?

— Reconhecido o axioma de que o universo obedece a uma lei de unidade, somos obrigados a reconhecer que o que se encontra no todo existe igualmente nas partes.

Contudo, o espectroscópio não vos poderá revelar todas as substâncias que se encontram nos outros mundos, e não podemos esquecer que a Terra é um apartamento muito singelo dentro do edifício universal, sem que possamos conhecer, pelos seus detalhes modestos, a grandeza infinita da obra do Criador.

23. Existe uma lei de equilíbrio e uma lei de fluidos?

— As grandes leis gerais do equilíbrio têm a sua sede sagrada em Deus, fonte perene de toda vida. E, em falando da lei de fluidos, cada orbe a possui de conformidade com a sua organização planetária.

Com relação ao plano terrestre, somente Jesus e os seus mensageiros mais elevados conhecem os seus processos, com a devida plenitude, constituindo essa lei um campo divino de estudos, não só para a mentalidade humana, como também para os seres desencarnados que já se redimiram dos labores mais grosseiros junto dos círculos da carne, a fim de evoluírem nas esferas mais próximas do cenário terrestre.

24. As leis da gravitação são análogas em todos os planetas?

— As leis da gravitação não podem ser as mesmas para todos os planetas, mesmo porque, em face da vossa evolução científica, já compreendeis que os princípios newtonianos foram substituídos, de algum modo, pelos conceitos de relatividade, conceitos esses que, por sua vez, seguirão, igualmente, o curso progressivo do conhecimento.

25. O teledinamismo é aplicado nas relações entre os planos visível e invisível?

— Sendo o teledinamismo a ação de forças que atuam a distância, cumpre-nos esclarecer que, no fenômeno das comunicações, muitas vezes entram em jogo as ações teledinâmicas, imprescindíveis a certas expressões do mediunismo.

26. Ante os princípios da Física, como poderemos compreender o magnetismo e quais as suas características no intercâmbio entre encarnados e desencarnados?

— O magnetismo é um fenômeno da vida, por constituir manifestação natural em todos os seres.

Se a Ciência do mundo já atingiu o campo de equações notáveis nas experiências relativas ao assunto, provando a generalidade e a delicadeza dos fenômenos magnéticos, deveis compreender que as exteriorizações dessa natureza, nas relações entre os dois mundos, são sempre mais elevadas e sutis, em virtude de serem, aí, uma expressão de vida superior.

1.1.3 Biologia

27. Como devemos compreender a natureza?

— A natureza é sempre o Livro divino, onde as mãos de Deus escrevem a história de sua sabedoria, livro da vida que constitui a escola de progresso espiritual do homem, evolvendo constantemente com o esforço e a dedicação de seus discípulos.

28. As manifestações de vida nos vários reinos da natureza, abrangendo o homem, significam a expressão do Verbo divino, em escala gradativa nos processos de aperfeiçoamento da Terra?

— Sim, em todos os reinos da natureza palpita a vibração de Deus, como o Verbo divino da Criação infinita; e, no quadro sem-fim do trabalho da experiência, todos os princípios, como todos os indivíduos, catalogam os seus valores e aquisições sagrados para a vida imortal.

29. Os Espíritos cooperam no desenvolvimento do embrião do corpo em que se vão reencarnar? E, em caso afirmativo, chegam a operar nos complexos celulares da herança física, para que os corpos futuros sejam dotados de certos elementos aptos a satisfazerem as circunstâncias da prova ou missão que hajam de cumprir?

— No caso dos Espíritos evoluídos, senhores de realizações próprias, inalienáveis, essa cooperação quase sempre se verifica, junto ao esforço dos prepostos de Jesus, que operam nesse sentido, com vistas ao porvir de suas lutas no ambiente material. Temos de considerar, todavia, que os Espíritos rebeldes, ou indiferentes, desprovidos dos valores próprios indispensáveis, têm de aceitar a deliberação dos prepostos referidos, os quais escolhem as substâncias que merecem ou que lhes são imprescindíveis no processo de resgate ou de evolução.

30. Há órgãos no corpo espiritual?

— Dentro das leis substanciais que regem a vida terrestre, extensivas às esferas espirituais mais próximas do planeta, já o corpo físico, excetuadas certas alterações impostas pela prova ou tarefa a realizar, é uma exteriorização aproximada do corpo perispiritual, exteriorização essa que se subordina aos imperativos da matéria mais grosseira, no mecanismo das heranças celulares, as quais, por sua vez, se enquadram nas indispensáveis provações ou testemunhos de cada indivíduo.

31. A reencarnação inicia-se com as primeiras manifestações de vida do embrião humano?

— Desde o instante primeiro de tais manifestações, a entidade espiritual experimenta os efeitos da sua nova condição. Importa reconhecer, todavia, que o Espírito mais lúcido, em contraposição com os mais obscurecidos e ignorantes, goza de quase inteira liberdade, até a consolidação total dos laços materiais com o novo nascimento na esfera do mundo.

32. Quando o embrião está sendo formado, existe uma interpenetração de fluidos entre a gestante e a entidade então ligada ao feto? Existem consequências verificáveis?

— Essa interpenetração de fluidos é natural e justa, ocasionando, não raras vezes, fenômenos sutilíssimos, como os chamados "sinais de nascença" que, somente mais tarde, poderão ser entendidos pela ciência do mundo, enriquecendo o quadro de valores da Biologia, no estudo profundo das origens.

33. O Espírito, em cada uma de suas encarnações, faz recapitulação das suas etapas evolutivas, assim como se verifica com o embrião material que recorda, antes do nascimento, toda a evolução da sua espécie?

— Essa recapitulação se verifica, na maioria dos casos, pela oportunidade que oferece à alma encarnada de se portar diretamente, nas mesmas circunstâncias do passado culposo; porém, não constitui regra geral, salientando-se que, quanto maiores as aquisições de sabedoria e de amor, mais afastado se encontrará o Espírito em aprendizado na Terra, dessa rememoração das experiências materiais, de cuja intimidade dolorosa poderá então prescindir, pela sua expressão superior de espiritualidade.

34. A denominada árvore genealógica dos seres humanos tem idêntica significação no plano espiritual?

— Na esfera espiritual persiste o mesmo esforço na conservação e dilatação dos afetos familiares e, ora nos trabalhos regeneradores da Terra, ora na luz santificante dos planos siderais, transformam-se as paixões ou sentimentos ilegítimos em sagrados liames do Espírito.

A árvore genealógica, porém, como se conhece na luta planetária, não se transporta ao plano invisível, porque, aí, os vínculos de sangue são substituídos pelas atrações dos sentimentos de amor sublime, purificados no patrimônio das experiências e lutas vividas em comum.

35. A genética está submetida a leis puramente materiais?

— As leis da genética encontram-se presididas por numerosos agentes psíquicos que a ciência da Terra está longe de formular, dentro dos seus postulados materialistas. Esses agentes psíquicos, muitas vezes, são movimentados pelos mensageiros do plano espiritual, encarregados dessa ou daquela missão junto às correntes da profunda fonte da vida. Eis por que, aos geneticistas, comumente se deparam incógnitas inesperadas, que deslocam o centro de suas anteriores ilações.

36. Pode a genética estatuir medidas que melhorem o homem?

— Fisicamente falando, a própria natureza do orbe vem melhorando o homem, continuadamente, nos seus processos de seleção natural. Nesse sentido, a genética só poderá agir copiando a própria natureza material. Se essa Ciência, contudo, investigar os fatores espirituais, aderindo aos elevados princípios que objetivam a iluminação das almas humanas, então poderá criar um vasto serviço de melhoramento e regeneração do homem espiritual no mundo, mesmo porque, de outro modo, poderá ser uma notável mentora da eugenia, uma grande escultora das formas celulares, mas estará sempre fria para o espírito humano, podendo transformar-se em títere abominável nas mãos impiedosas dos políticos racistas.

37. As combinações de *genes*, aconselhadas pela genética, podem imprimir no homem certas faculdades ou certas vocações?

— Alguns cientistas da atualidade proclamam essas possibilidades, esquecendo, porém, que a vocação ou faculdade é atributo da individualidade espiritual, inacessível aos seus processos de observação.

Os geneticistas podem realizar numerosas demonstrações nas células materiais; todavia, essas experiências não passarão dessa zona superficial, em se tratando das conquistas, das provações ou da posição evolutiva dos Espíritos encarnados.

38. Se a Genética está orientada por elementos psíquicos, como esclarecer as conclusões tão exatas do Mendelismo?

— O Mendelismo realizou experiências notáveis, porém, ainda encontra fenômenos inexplicáveis no processo de suas observações positivas. Faz-se mister considerar, igualmente, que, em escala decrescente, nos reinos da natureza, a Genética apresenta resultados felizes nas suas demonstrações, pelo material simples e primitivo tomado para as suas observações práticas, tais como os amplexos celulares de plantas e de animais, constituídos por expressões rudimentares. Em escala ascendente, contudo, onde a evolução psíquica apresenta as suas características de intensidade e realização, a genética encontrará sempre os fatores espirituais, convocando-a para um campo mais vasto e mais sublime de operações.

39. Quais as causas do nascimento de monstruosidades entre os homens e entre os animais?

— Não podemos olvidar que entre os homens esses fenômenos dolorosos decorrem do quadro de provações purificadoras, sem nos esquecermos, igualmente, de que o mundo terrestre ainda é escola preparatória de aperfeiçoamento. Os produtos teratológicos constituem luta expiatória, não só para os pais sensíveis, como para o Espírito encarnado sob penosos resgates do pretérito delituoso.

Quanto aos animais, temos de reconhecer a necessidade imperiosa das experiências múltiplas no drama da evolução anímica.

Em tudo, porém, busquemos divisar a feição educativa dos trabalhos do mundo.

A Terra é uma vasta oficina. Dentro dela operam os prepostos do Senhor, que podemos considerar como os orientadores técnicos da obra de aperfeiçoamento e redenção. Em determinadas seções de esforço, os homens são maus alunos ou trabalhadores rebelados. Nesses núcleos, os prepostos de Jesus podem edificar o mesmo trabalho de sempre; todavia, encontram a perturbação e a resistência dos próprios beneficiados, razão pela qual a fonte de energias puras não pode ser responsabilizada pelos fenômenos que a deturpam, operados pela indiferença, pela intenção criminosa ou pela perversidade das próprias criaturas humanas, objeto constante do carinho desvelado do Senhor, em todos os caminhos dos seus destinos.

40. A fecundidade e a esterilidade são provas?

— No quadro de interpretações da Terra, esses conceitos podem indicar situações de prova para as almas que se encontram em experiências edificadoras; todavia, se considerarmos a questão no seu aspecto espiritual, somos obrigados a reconhecer que a esterilidade não existe para o Espírito que, na Terra, ou fora dela, pode ser fecundo em obras de beleza, de aperfeiçoamento e de redenção.

41. A ideia de evolução, que tem influído na esfera de todas as ciências do mundo, desde as teorias darwinianas, representa agora uma nova etapa de aproximação entre os conhecimentos científicos do homem e as verdades do Espiritismo?

— Todas as teorias evolucionistas no orbe terrestre caminham para a aproximação com as verdades do Espiritismo, no abraço final com a Verdade suprema.

1.1.4 Psicologia

42. Como poderemos compreender, pelo Espiritismo, o preceito da Psicologia que afirma a experiência dos nossos cinco sentidos como todo o fundamento de nossa vida mental?

— O Espiritismo esclarece que o homem é senhor de um patrimônio mais vasto, consolidado nas suas experiências de outras vidas, provando que o legítimo fundamento da vida mental não reside, de maneira absoluta, na contribuição dos sentidos corporais, mas também nas recordações latentes do pretérito, das quais os fenômenos da inteligência prematura, na Terra, são os testemunhos mais eloquentes.

43. Estabelecendo a Psicologia do mundo como sede da memória, do julgamento e da imaginação, as partes do cérebro humano, cujas funções não são ainda devidamente conhecidas pela Ciência, retardam a solução de um problema que só pode ser satisfeito pelos conhecimentos espíritas?

— Distante das cogitações de ordem divina, a Psicologia terrestre efetua essa procrastinação, até que consiga atingir o profundo estuário da verdade integral.

44. Poderá a Psicologia chegar a uma solução cabal do problema das desordens mentais, denominadas anormalidades psicológicas?

— Movimentando tão somente os materiais da Ciência humana, a Psicologia não atingirá esse desiderato, conservando-se no terreno das definições e dos estudos, distantes da causa.

Os conhecimentos do mundo, porém, caminham para a evolução dessa Ciência à luz do Espiritismo, quando, então, seus investigadores poderão alcançar as soluções precisas.

45. A Psicanálise freudiana, valorizando os poderes desconhecidos do nosso aparelhamento mental, representa um traço de aproximação entre a Psicologia e o Espiritismo?

— Essas escolas do mundo constituem sempre grandes tentativas para aquisição das profundas verdades espirituais, mas os seus mestres, com raras exceções, se perdem na vaidade dos títulos acadêmicos ou nas falsas apreciações dos valores convencionais.

Os preconceitos científicos, por enquanto, impossibilitam a aproximação legítima da Psicologia oficial e do Espiritismo.

Os processos da primeira falam da parte desconhecida do mundo mental, a que chamam subconsciência, sem definir essa cripta misteriosa da personalidade humana, examinando-a apenas na classificação pomposa das palavras. Entretanto, somente à luz do Espiritismo poderão os métodos psicológicos apreender que essa zona oculta, da esfera psíquica de cada um, é o reservatório profundo das experiências do passado, em existências múltiplas da criatura, arquivo maravilhoso onde todas as conquistas do pretérito são depositadas em energias potenciais, de modo a ressurgirem no momento oportuno.

46. Como poderemos compreender os chamados complexos ou associações de ideias no fenômeno mental?

— Sabemos que as associações de ideias não têm causa nas células nervosas, constituindo antes ações espontâneas do Espírito dentro do vasto mecanismo circunstancial; ações essas, oriundas do seu esforço incessante, projetadas através do cérebro material, que não é mais que um instrumento passivo.

47. Por que, relativamente ao estudo dos processos mentais, se encontram divididos no campo da opinião os psicologistas do mundo?

— Os psicologistas humanos, que se encontram ainda distantes das verdades espirituais, dividem-se tão só pelas manifestações do personalismo, dentro de suas escolas; mesmo porque, analisando apenas os efeitos, não investigam as causas, perdendo-se na complicação das nomenclaturas científicas, sem uma definição séria e simples do processo mental, onde se sobrelevam as profundas realidades do Espírito.

48. O Espiritismo esclarecerá a Psicologia quanto ao problema da sede da inteligência?

— Somente com a cooperação do Espiritismo poderá a ciência psicológica definir a sede da inteligência humana, não nos complexos nervosos ou glandulares do corpo perecível, mas no Espírito imortal.

49. Como devemos conceituar o sonho?

— Na maioria das vezes, o sonho constitui atividade reflexa das situações psicológicas do homem no mecanismo das lutas de cada dia, quando as forças orgânicas dormitam em repouso indispensável.
Em determinadas circunstâncias, contudo, como nos fenômenos premonitórios, ou nos de sonambulismo, em que a alma encarnada alcança elevada porcentagem de desprendimento parcial, o sonho representa a liberdade relativa do Espírito prisioneiro da Terra, quando, então, se poderá verificar a comunicação inter vivos, e, quanto possível, as visões proféticas, fatos esses

sempre organizados pelos mentores espirituais de elevada hierarquia, obedecendo a fins superiores, e quando o encarnado em temporária liberdade pode receber a palavra e a influência diretas de seus amigos e orientadores do plano invisível.

50. A vocação é uma lembrança das existências passadas?

— A vocação é o impulso natural oriundo da repetição de análogas experiências, através de muitas vidas. Suas características, nas disposições infantis, são o testemunho mais eloquente da verdade reencarnacionista.

51. A loucura é sempre uma prova?

— O desequilíbrio mental é sempre uma provação difícil e dolorosa. Essa realidade, contudo, podendo representar o resgate de uma dívida do pretérito escabroso e desconhecido pode, igualmente, constituir uma resultante da imprevidência de hoje, no presente que passa, fazendo necessária, acima de todas as exortações, aquela que recomenda a oração e a vigilância.

52. A alucinação é fenômeno do cérebro ou do Espírito?

— A alucinação é sempre um fenômeno intrinsecamente espiritual, mas pode nascer de perturbações estritamente orgânicas, que se façam reflexas no aparelho sensorial, viciando o instrumento dos sentidos, por onde o Espírito se manifesta.

53. Os bons ou maus pensamentos do ser encarnado afetam a organização psíquica de seus irmãos na Terra, aos quais sejam dirigidos?

— Os corações que oram e vigiam, realmente, de acordo com as lições evangélicas, constroem a sua própria fortaleza, para todos os movimentos de defesa espontânea. Os bons pensamentos produzem sempre o máximo bem sobre aqueles que representam o seu objetivo, por se enquadrarem na essência da Lei única, que é o Amor em todas as suas divinas manifestações; os de natureza inferior podem afetar o seu objeto, em identidade de circunstâncias, quando a criatura se fez credora desses choques dolorosos, na justiça das compensações.

Sobre todos os feitos dessa natureza, todavia, prevalece a Providência divina, que opera a execução de seus desígnios de equidade, com misericórdia e sabedoria.

1.1.5 Sociologia

54. Com a difusão da luz espiritual, alargará o homem a noção de pátria, de modo a abranger no mesmo nível todas as nações do mundo?

— A luz espiritual dará aos homens um conceito novo de pátria, de maneira a proscrever-se o movimento destruidor pelos canhões e balas homicidas.
Quando isso se verifique, o homem aprenderá a valorizar o berço em que renasceu, pelo trabalho e pelo amor,

destruindo-se concomitantemente as fronteiras materiais e dando lugar à era nova da grande família humana, em que as raças serão substituídas pelas almas e em que a pátria será honrada, não com a morte, mas com a vida bem aplicada e bem vivida.

55. A desigualdade verificada entre as classes sociais, no usufruto dos bens terrenos, perdurará nas épocas do porvir?

— A desigualdade social é o mais elevado testemunho da verdade da reencarnação, mediante a qual cada Espírito tem sua posição definida de regeneração e resgate. Nesse caso, consideramos que a pobreza, a miséria, a guerra, a ignorância, como outras calamidades coletivas, são enfermidades do organismo social, devido à situação de prova da quase generalidade dos seus membros. Cessada a causa patogênica com a iluminação espiritual de todos em Jesus Cristo, a moléstia coletiva estará eliminada dos ambientes humanos.

56. Pode admitir-se, em Sociologia, o conceito de igualdade absoluta?

— A concepção igualitária absoluta é um erro grave dos sociólogos, em qualquer departamento da vida. A tirania política poderá tentar uma imposição nesse sentido, mas não passará das espetaculosas uniformizações simbólicas para efeitos exteriores, porquanto o verdadeiro valor de um homem está no seu íntimo, onde cada Espírito tem sua posição definida pelo próprio esforço.

O Consolador

Nessa questão existe uma igualdade absoluta de direitos dos homens perante Deus, que concede a todos os seus filhos uma oportunidade igual nos tesouros inapreciáveis do tempo. Esses direitos são os da conquista da sabedoria e do amor, através da vida, pelo cumprimento do sagrado dever do trabalho e do esforço individual. Eis por que cada criatura terá o seu mapa de méritos nas sendas evolutivas, constituindo essa situação, nas lutas planetárias, uma grandiosa escala progressiva em matéria de raciocínios e sentimentos, em que se elevará naturalmente todo aquele que mobilizar as possibilidades concedidas à sua existência para o trabalho edificante da iluminação de si mesmo, nas sagradas expressões do esforço individual.

57. Poderão os homens resolver sem atritos as chamadas questões proletárias?

— Sim, quando se decidirem a aceitar e aplicar os princípios sagrados do Evangelho. Os regulamentos apaixonados, as greves, os decretos unilaterais, as ideologias revolucionárias, são cataplasmas inexpressivas, complicando a chaga da coletividade.

O Socialismo é uma bela expressão de cultura humana, enquanto não resvala para os polos do extremismo.

Todos os absurdos das teorias sociais decorrem da ignorância dos homens relativamente à necessidade de sua cristianização. Conhecemos daqui os maus dirigentes e os maus dirigidos, não como homens ricos e pobres, mas como avarentos e revoltados. Nessas duas expressões, as criaturas operaram o desequilíbrio de todos os mecanismos do trabalho natural.

A verdade é que todos os homens são proletários da evolução e nenhum esforço de boa realização na Terra é indigno do Espírito encarnado.

Cada máquina exige uma direção especial, e o mecanismo do mundo requer o infinito de aptidões e de conhecimentos.

Sem a harmonia de cada peça na posição em que se encontra, toda produção é contraproducente e toda boa tarefa, impossível.

Todos os homens são ricos pelas bênçãos de Deus e cada qual deve aproveitar, com êxito, os *talentos* recebidos, porquanto, sem exceção de um só, prestarão um dia, Além-túmulo, contas de seus esforços.

Que os trabalhadores da direção saibam amar, e que os da realização nunca odeiem. Essa é a verdade pela qual compreendemos que todos os problemas do trabalho, na Terra, representam uma equação de Evangelho.

58. Reconhecendo-se o Estado como aparelhamento de leis convencionais, é justificável a sua existência, bem como a das classes armadas, que o sustentam no mundo?

Na situação (ou condição) atual do mundo e considerando a heterogeneidade dos caracteres e das expressões evolutivas das criaturas, examinadas isoladamente, justifica-se a necessidade dos aparelhos estatais nas convenções políticas, bem como das classes armadas que os mantêm no orbe, como institutos de ordem para a execução das provas individuais, nas contingências humanas, até que o homem perceba o sentido de concórdia e fraternidade dentro das leis do Criador, prescindindo então da obrigatoriedade de certas determinações das leis humanas, convencionais e transitórias.

59. Tem o Espiritismo um papel especial junto da Sociologia?

— Na hora atual da humanidade terrestre, em que todas as conquistas da civilização se subvertem nos extremismos, o Espiritismo é o grande iniciador da Sociologia, por significar o Evangelho Redivivo que as religiões literalistas tentaram inumar nos interesses econômicos e na convenção exterior de seus prosélitos.

Restaurando os ensinos de Jesus para o homem e esclarecendo que os valores legítimos da criatura são os que procedem da consciência e do coração, a Doutrina consoladora dos Espíritos reafirma a verdade de que a cada homem será dado de acordo com seus méritos, no esforço individual, dentro da aplicação da lei do trabalho e do bem; razão pela qual representa o melhor antídoto dos venenos sociais atualmente espalhados no mundo pelas filosofias políticas do absurdo e da ambição desmedida, restabelecendo a verdade e a concórdia para os corações.

60. Como se deverá comportar o espírita perante a política do mundo?

— O sincero discípulo de Jesus está investido de missão mais sublime, em face da tarefa política saturada de lutas materiais. Essa é a razão por que não deve provocar uma situação de evidência para si mesmo nas administrações transitórias do mundo. E, quando convocado a tais situações pela força das circunstâncias, deve aceitá--las não como galardão para a Doutrina que professa, mas como provação imperiosa e árdua, onde todo êxito é sempre difícil. O espírita sincero deve compreender que a iluminação de uma consciência é como se fora a iluminação de um mundo, salientando-se que a tarefa do Evangelho, junto das almas encarnadas na Terra, é a mais importante de todas, visto constituir uma realização definitiva e real. A missão da Doutrina é consolar e instruir, em Jesus, para que todos mobilizem as suas possibilidades divinas no caminho da vida. Trocá-la por um lugar no banquete dos Estados é inverter o valor dos ensinos, porque todas as organizações humanas são passageiras em face da necessidade de renovação de todas as fórmulas do homem na Lei do progresso universal, depreendendo-se daí que a verdadeira construção da felicidade geral só será efetiva com bases legítimas no espírito das criaturas.

61. Como deveremos encarar a política do racismo?

— Se é justo observarmos nas pátrias o agrupamento de múltiplas coletividades, pelos laços afins da educação e do sentimento, a política do racismo deve ser encarada como erro grave, que pretexto algum justifica, porquanto não pode apresentar base séria nas suas alegações, que mal encobrem o propósito nefasto de tirania e separatividade.

62. O *não matarás* alcança o caçador que mata por divertimento e o carrasco que extermina por obrigação?

— À medida que evolverdes no sentimento evangélico, compreendereis que todos os matadores se encontram em oposição ao texto sagrado.

No grau dos vossos conhecimentos atuais, entendeis que somente os assassinos que matam por perversidade estão contra a Lei divina. Quando avançardes mais no caminho, aperfeiçoando o aparelho social, não tolerareis o carrasco, e, quando estiverdes mais espiritualizados, enxergando nos animais os irmãos inferiores de vossa vida, a classe dos caçadores não terá razão de ser.

Lendo os nossos conceitos, recordareis os animais daninhos e, no íntimo, haveis de ponderar sobre a necessidade do seu extermínio. É possível, porém, que não vos lembreis dos homens daninhos e ferozes. O caluniador não envenena mais que o toque de uma serpente? O armamentista, ou o político ambicioso, que montam com frieza a maquinaria da guerra incompreensível, não são mais impiedosos que o leão selvagem?...

Ponderemos essas verdades e reconheceremos que o homem espiritual do futuro, com a luz do Evangelho na inteligência e no coração, terá modificado o seu ambiente de lutas, auxiliando igualmente os esforços evolutivos de seus companheiros do plano inferior, na vida terrestre.

63. Considerando a determinação positiva do *não julgueis*, como poderemos discernir o bem do mal, sem julgamento?

— Entre julgar e discernir há sempre grande distância. O ato de julgar para a especificação de consequências definitivas pertence à Autoridade divina, porém, o direito da análise está instituído para todos os Espíritos, de modo que, discernindo o bem e o mal, o erro e a verdade, possam as criaturas traçar as diretrizes do seu melhor caminho para Deus.

64. Em face da lei dos homens, quando em presença do processo criminal, deve dar-se o voto condenativo, em concordância com o processo-crime, ou absolver o réu em obediência ao *não julgueis*?

— Na esfera de nossas experiências, consideramos que, à frente dos processos humanos, ainda quando as suas peças sejam condenatórias, deve-se recordar a figura do Cristo junto da pecadora apedrejada, pois que Jesus estava também perante um júri.

"Quem estiver sem pecado atire a primeira pedra" — é a sentença que deveria lembrar, sempre, a nossa situação comum de Espíritos decaídos, para não condenar esse ou aquele dos nossos semelhantes. "Vai e não peques mais" — deve ser a nossa norma de conduta dentro do próprio coração, afastando-se a erva do mal que nele viceje.

Nos processos públicos, a autoridade judiciária, como peça integrante da máquina do Estado no desempenho de suas funções especializadas, deve saber onde se encontra o recurso conveniente para o corretivo ou para a reeducação do organismo social, mobilizando, nesse mister, os valores de sua experiência e de suas responsabilidades.

Individualmente, porém, busquemos aprender que se podemos "julgar" alguma coisa, julguemo-nos, sempre, em primeiro lugar, como o irmão mais próximo daquele a quem se atribui um crime ou uma falta, a fim de estarmos acordes com aquele que é a luz dos nossos corações.

Nas horas comuns da existência, procuremos a luz evangélica para analisar o erro e a verdade, discernir o bem e o mal; todavia, no instante dos julgamentos definitivos, entreguemos os processos a Deus, que, antes de nós, saberá sempre o melhor caminho da regeneração dos seus filhos transviados.

65. O homem que guarda responsabilidades nos cargos públicos da Terra responde, no plano espiritual, pelas ordens que cumpre e faz cumprir?

— A responsabilidade de um cargo público, pelas suas características morais, é sempre mais importante que a concedida por Deus sobre um patrimônio material. Daí a verdade que, na vida espiritual, o depositário do bem público responderá sempre pelas ordens expedidas pela sua autoridade, nas tarefas da Terra.

66. O preceito Evangélico:"Assim, pois, aquele que dentre vós não renunciar a tudo o que tem, não pode ser meu discípulo". deve ser interpretado no sentido absoluto?

— Ainda esse ensino do Mestre deve ser considerado no seu divino simbolismo.

A fortuna e a autoridade humanas são também caminhos de experiências e provas, e o homem que as atirasse fora de si, arbitrariamente, procederia com a noção da irresponsabilidade, desprezando o ensejo do progresso que a Providência divina lhe colocou nas mãos.

Todos os homens são usufrutuários dos bens divinos, e os convocados ao trabalho de administração desses bens devem encarar a sua responsabilidade como problema dos mais sérios da vida.

Renunciando ao egoísmo, ao orgulho, à fraqueza, às expressões de vaidade, o homem cumprirá a ordenação evangélica, e, sentindo a grandeza de Deus, único dispensador no patrimônio real da vida, será discípulo do Senhor em qualquer circunstância, por usar as suas possibilidades materiais e espirituais, sem os característicos envenenados do mundo, como intérprete sincero dos desígnios divinos para felicidade de todos.

67. Como interpretar o movimento feminista na atualidade da civilização?

— O homem e a mulher, no instituto conjugal, são como o cérebro e o coração do organismo doméstico.

Ambos são portadores de uma responsabilidade igual no sagrado colégio da família; e se a alma feminina sempre apresentou um coeficiente mais avançado de espiritualidade na vida, é que, desde cedo, o espírito masculino intoxicou as fontes da sua liberdade, por meio de todos os abusos, prejudicando a sua posição moral no decurso das existências numerosas, em múltiplas experiências seculares.

A ideologia feminista dos tempos modernos, porém, com as suas diversas bandeiras políticas e sociais, pode ser um veneno para a mulher desavisada dos seus grandes deveres espirituais na face da Terra. Se existe um feminismo legítimo, esse deve ser o da reeducação da mulher para o lar, nunca para uma ação contraproducente fora dele. É que os problemas femininos não poderão ser solucionados pelos códigos do homem, mas somente à luz generosa e divina do Evangelho.

68. Como conceituar o estado de espírito do homem moderno, que tanto se preocupa com o "estar bem na vida", "ganhar bem" e "trabalhar para enriquecer"?

— Esse propósito do homem viciado, dos tempos atuais, constitui forte expressão de ignorância dos valores espirituais na Terra, onde se verifica a inversão de quase todas as conquistas morais.

Foi esse excesso de inquietação, no mais desenfreado egoísmo, que provocou a crise moral do mundo, em cujos espetáculos sinistros podemos reconhecer que o homem físico, da radiotelefonia e do transatlântico, necessita de mais verdade que dinheiro, de mais luz que de pão.

1.2 CIÊNCIAS ABSTRATAS

69. No quadro dos valores espirituais, qual a posição das ciências abstratas como a Matemática, a Estatística e a Lógica, por exemplo, que requerem o máximo de método e observação para as suas atividades dedutivas?

— Ainda aqui, observamos a Matemática e a Estatística medindo, calculando e enumerando o patrimônio das expressões materiais, e a Lógica orientando as atividades intelectuais do homem, nas contingências de sua vida no planeta.

Não podemos desprezar a cooperação das ciências abstratas nos postulados educativos, por adestrarem as inteligências, dilatando a espontaneidade nos espíritos, de maneira a estabelecer a facilidade de compreensão dos valores da vida planetária, mas temos de reconhecer que as suas atividades, quase todas circunscritas ao ambiente do mundo, são processos ou meios para que o homem atinja a ciência da vida em suas mais profundas revelações espirituais, ciência que simboliza a divina finalidade de todas as investigações e análises das organizações existentes na Terra.

1.3 CIÊNCIAS ESPECIALIZADAS

70. As ciências especializadas como a Astronomia, a Meteorologia, a Botânica e a Zoologia foram criadas pelo esforço do espírito humano, na evolução das ciências fundamentais?

— Como atividades complementares das ciências fundamentais, esses estudos especializados representam um conjunto de conquistas do espírito humano, no sagrado labor da entidade abstrata a que chamamos "civilização".

Tais esforços constituem a catalogação das pesquisas e realizações propriamente humanas; todavia, convergem para a ciência integral no plano infinito, onde se irmanarão com os valores morais na glorificação do homem redimido.

71. Como julgar a posição da Terra em relação aos outros mundos?

— A grandeza do plano sideral, onde se agita a comunidade dos sistemas, é demasiado profunda para que possamos assinar-lhe a definição com os mesquinhos formulários da Terra.

No turbilhão do Infinito, o sistema planetário centralizado pelo nosso Sol é excessivamente singelo, constituindo um aspecto muito pobre da Criação.

Basta lembrar que Capela, um dos nossos vizinhos mais próximos, é um sol 5.800 vezes maior que o nosso astro do dia, sem esquecermos que a Terra é 1.300.000 vezes menor que o nosso Sol.

Nessas cifras grandiosas, compreendemos a extensão da nossa humildade no universo, apiedando-nos sinceramente da situação dos conquistadores humanos de todos os matizes, os quais, no afã de açambarcarem patrimônios materiais, nos dão a impressão de ridículos e vaidosos polichinelos da vida.

72. Existem planetas de condições piores que as da Terra?

— Existem orbes que oferecem piores perspectivas de existência que o vosso e, no que se refere a perspectivas, a Terra é um plano alegre e formoso de aprendizado. O único elemento que aí destoa da natureza é justamente o homem, avassalado pelo egoísmo.

Conhecemos planetas onde os seres que os povoam são obrigados a um esforço contínuo e penoso para aliciar os elementos essenciais à vida; outros, ainda, onde numerosas criaturas se encontram em doloroso degredo. Entretanto, no vosso, sem que haja qualquer sacrifício de vossa parte, tendes gratuitamente céu azul, fontes fartas, abundância de oxigênio, árvores amigas, frutos e flores, cor e luz, em santas possibilidades de trabalho, que o homem há renegado em todos os tempos.

73. A humanidade terrestre é idêntica à doutros orbes?

— Nas expressões físicas, semelhante analogia é impossível, em face das leis substanciais que regem cada plano evolutivo; mas procuremos entender por humanidade a família espiritual de todas as criaturas de Deus que povoam o universo e, examinada a questão sob esse prisma, veremos a comunidade terrestre identificada com a coletividade universal.

74. O homem científico poderá encarar com êxito as possibilidades de uma viagem interplanetária?

— Pelo menos, enquanto perdurar a sua atitude de confusão, de egoísmo e rebeldia, a humanidade terrestre não deve alimentar qualquer projeto de viagem interplanetária.

Que dizermos do homem que, sem dispor a ordem na sua própria casa, quisesse invadir a residência dos vizinhos? Se tantas vezes as criaturas terrestres têm menosprezado os bens que a Providência divina lhes colocou nas mãos, não seria justo circunscrevê-las ao seu âmbito acanhado e mesquinho?

O insulamento da Terra é um bem inapreciável.

Observemos as expressões do progresso humano, movimentadas para a guerra e para a destruição, nos triunfos da força, e rendamos louvores ao Pai celestial por não haver dilatado no orbe terreno os processos de observação das suas vaidosas criaturas.

75. Na diversidade de suas experiências, é o Espírito obrigado a adaptar-se às condições fluídicas de cada orbe?

— Esse é um imperativo para aquisição de seus valores evolutivos dentro das leis do aperfeiçoamento.

76. Poderão os fenômenos da meteorologia ser controlados, mais tarde, pelos homens?

— Os fenômenos meteorológicos, incontroláveis pelas criaturas humanas, não o são pelos prepostos de Jesus, que buscam dispô-los de acordo com os ascendentes espirituais a serem observados em todos os processos evolutivos. Não olvidemos, contudo, que a Terra é uma escola.

Se não é possível conceder, por enquanto, um título de conhecimento total aos discípulos rebeldes e preguiçosos, isso será possível um dia, quando a evolução moral houver atingido o nível indispensável ao aproveitamento dessa ou daquela força, em benefício de todos.

77. Os Espíritos se preocupam com a Botânica?

— Na Botânica encontrais as mesmas incógnitas dos princípios, apenas explicáveis pelos fatores transcendentes, o que prova a atenção do plano espiritual para com o chamado reino dos vegetais.

Esse departamento da natureza, campo de evolução como os outros, recebe igualmente o sagrado influxo do Senhor, por meio da assistência de seus mensageiros, desde os pródromos da organização planetária.

Recordai-vos de que o homem é discípulo numa escola que o seu raciocínio já encontrou organizada pela sabedoria divina e, em nome daquele que é a origem sagrada de nossas vidas, amai as árvores e tende cuidado com o campo, onde florescem as bênçãos do céu.

78. A Zoologia é também objeto de atenção dos planos espirituais?

— Sem dúvida, também a Zoologia merece o zelo da esfera invisível, mas é indispensável considerarmos a utilidade de uma advertência aos homens, convidando-os a examinar detidamente os seus laços de parentesco com os animais, dentro das linhas evolutivas, sendo justo que procurem colocar os seres inferiores da vida planetária sob o seu cuidado amigo.

Os reinos da natureza, aliás, são o campo de operação e trabalho dos homens, sendo razoável considerá-los, mais sob a sua responsabilidade direta que propriamente dos Espíritos, razão por que responderão perante as Leis divinas pelo que fizeram, em consciência, com os patrimônios da natureza terrestre.

79. Como interpretar nosso parentesco com os animais?

— Considerando que eles igualmente possuem, diante do tempo, um porvir de fecundas realizações, através de numerosas experiências, chegarão, um dia, ao chamado reino hominal, como, por nossa vez, alcançaremos, no escoar dos milênios, a situação de angelitude. A escala do progresso é sublime e infinita. No quadro exíguo dos vossos conhecimentos, busquemos uma figura que nos convoque ao sentimento de solidariedade e de amor que deve imperar em todos os departamentos da natureza visível e invisível. O mineral é atração. O vegetal é sensação. O animal é instinto. O homem é razão. O anjo é divindade. Busquemos reconhecer a infinidade de laços que nos unem nos valores gradativos da evolução e ergamos em nosso íntimo o santuário eterno da fraternidade universal.

1.4 CIÊNCIAS COMBINADAS

80. As chamadas ciências combinadas, entre as quais a História, a Geologia e a Geografia, surgiram no mundo tão só pelo esforço dos Espíritos aqui encarnados?

— Indiretamente, as criaturas humanas têm recebido, em todas as épocas, a cooperação do plano espiritual para a edificação dos seus valores mais legítimos. As chamadas ciências combinadas são expressões do mesmo quadro de conhecimentos humanos, com igual convergência para a sabedoria integral, no plano infinito.
A História, como a conheceis, não é uma estatística dos acontecimentos do planeta por meio das palavras?
Todas elas são processos evolutivos para os valores intelectuais do homem, a caminho das conquistas definitivas de sua personalidade imortal.

81. Nos planos espirituais a história das civilizações terrestres é conhecida nas mesmas características em que a conhecemos por meio dos narradores humanos?

— A descrição dos fatos é aproximadamente a mesma; todavia, os métodos de apreciação dos acontecimentos e das situações divergem de maneira quase absoluta.

Muitas vezes os heróis nos livros da Terra são entidades misérrimas na esfera espiritual. Verifica-se, então, o contrário. Conhecemos Espíritos altíssimos que vieram do mundo cobertos de virtudes gloriosas, e que não constam de nenhuma lembrança da humanidade. Os altares e as galerias patrióticas da Terra foram sempre comprometidos pela política rasteira das paixões. Poucos heróis do planeta fazem jus a esse título no mundo da verdade.

É por essa razão que a história do orbe sendo exata, no concernente à descrição e à cronologia, é ilegítima no que se refere à justiça e à sinceridade.

82. Os falsos julgamentos da História agravam a situação dos que se desprendem do mundo, na qualidade de heróis, sem que o sejam?

— As exéquias solenes, os necrológios brilhantes, os pomposos adjetivos que se concedem aos "mortos", em troca do ouro da posição convencional que deixaram, afligem os que partiram pela morte, de maneira intraduzível. Penosa situação de angústia se estabelece para esses Espíritos sofredores e perturbados, que se envergonham de si mesmos, experimentando a mais funda repugnância pelas homenagens recebidas.

Cessada essa fase do julgamento insincero do mundo, frequentemente se poderá observar a incoerência dos homens.

O "antigo herói" volta ao orbe com as vestes do mendigo ou do proletário rude, aprendendo nas lágrimas silenciosas a compor os cânticos do dever e do trabalho santificantes; todavia, ninguém o vê, porque, na história do mundo, em todos os tempos, o homem sempre incensou a tirania e raramente fixou o olhar inquieto na flor carinhosa e humilde da virtude.

83. É o historiador responsável pelos juízos falsos da História?

— Considerando-se que cada Espírito encarnado tem sua tarefa especial nesse ou naquele setor evolutivo, os historiadores que se deixam mergulhar no interesse econômico das sinecuras políticas, embriagados pelo vinho da mediocridade, responderão Além-túmulo pela exploração comercial da inteligência que hajam praticado na Terra, adulterando a justiça e o direito, evitando a verdade, ou fornecendo mentiras ao Espírito confiante dos pósteros.

84. Se um Espírito no plano invisível não é realmente uma criatura santificada, como receberá as orações de seus devotos, se a História do mundo o canonizou?

— A canonização é um processo muito arrojado das ambições humanas, para ser considerado perante a verdade espiritual.

Conhecemos inquisidores, verdugos de povos e traidores do bem, conduzidos ao altar pelo falso julgamento da política humana. A prece dos devotos invocando o seu socorro, muitas vezes sem se lembrarem da paternidade de Deus, ecoa-lhes no coração perturbado como vozes de acusação terrível e dolorosa, porquanto reavivam ainda mais a nudez de suas feridas.

Frequentemente, os Espíritos que se encontram nessa penosa situação rogam a Jesus a concessão das experiências mais humildes na Terra, a fim de olvidarem os ruídos nocivos das falsas glórias do planeta, no silêncio das grandes dores que iluminam e regeneram.

85. As primeiras formas planetárias obedeceram a um molde especial preexistente?

— Jesus foi o divino escultor da obra geológica do planeta. Junto de seus prepostos, iluminou a sombra dos princípios com os eflúvios sublimados do seu amor, que saturaram todas as substâncias do mundo em formação.

Não podemos afirmar que as formas da natureza, em sua manifestação inicial, obedecessem a um molde preexistente, no sentido de imitação, porque todas elas receberam o influxo sagrado do coração do Cristo.

A verdade é que, assim como nas vossas construções materiais, todas as obras viveram previamente no cérebro de um engenheiro ou de um arquiteto, todas as formas de vida na Terra foram primeiramente concebidas na sua visão divina.

86. Tendo sido a Terra formada pelo Poder divino, por que passou o planeta por tantas etapas evolutivas, muitas das quais duraram milhões de anos?

— No infinito do universo, a evolução do princípio espiritual tem de escapar a todas as vossas limitações de tempo e de espaço, na tábua dos valores terrestres.

As aquisições de cada indivíduo resultam da lei do esforço próprio no caminho ilimitado da Criação, destacando-se daí as mais diversas posições evolutivas das criaturas e compreendendo-se que tempo e espaço são laboratórios divinos, onde todos os princípios da vida são submetidos às experiências do aperfeiçoamento, de modo que cada um deva a si mesmo todas as realizações, no dia de aquisição dos mais altos valores da vida.

87. De onde foram tirados os elementos para a formação da Terra?

— Sabemos que a aglutinação molecular, bem como o motor transcendente do mundo, obedeceram ao sopro gerador da vida, oriundo do Todo-Poderoso e lançado sobre o infinito da criação universal; contudo, achamo-nos ainda na situação do aluno que encontrou a escola já edificada, cabendo-nos louvar e buscar, pelo trabalho e pelo aperfeiçoamento, o seu divino Autor.

88. Deve o homem terrestre enxergar nas comoções geológicas do globo elementos de provação para a sua vida?

— Os abalos sísmicos não são simples acidentes da natureza. O mundo não está sob a direção de forças cegas. As comoções do globo são instrumentos de provações coletivas, ríspidas e penosas. Nesses cataclismos, a multidão resgata igualmente os seus crimes de outrora e cada elemento integrante da mesma quita-se do pretérito na pauta dos débitos individuais.

89. Por que razão não existe nos textos sagrados uma notícia positiva das terras descobertas posteriormente à vinda de Jesus ao planeta?

— Nesse particular, temos de convir que a palavra das profecias, através de todos os tempos e situações do planeta, como eco das regiões divinas, não teve em mira senão a edificação do reino de Deus nos corações, desprezando as fundações humanas, precárias e perecíveis. Todavia, no desdobramento das revelações, encontrareis notícias das novas terras, posteriormente descobertas, informações essas que se encontram sob os véus dos símbolos, como aconteceu com todas as demais notificações que o Velho e Novo Testamentos legaram ao homem espiritual.

1.5 CIÊNCIAS APLICADAS

90. As ciências aplicadas, como a Agricultura, a Engenharia, a Medicina, a Educação e a Economia representam o campo de esforço dos Espíritos encarnados, para amplificação dos conhecimentos do homem, em benefício material da humanidade?

— As ciências aplicadas são as forças que se mobilizam para as comodidades da civilização; todavia, apesar de suas características materiais, é dentro de seus quadros que se organizam os esforços abençoados do Espírito, em provas de regeneração ou em missões purificadoras, na sua marcha ascensional para o perfeito.

Entrosando-se com as atividades complementares das demais expressões científicas do planeta, todas se harmonizam, nas lutas do homem, como recursos terrenos para o desiderato das finalidades divinas.

91. No quadro das ciências, as inspirações do plano superior são destinadas a determinados estudiosos, ou lançadas de maneira geral para todos os cientistas?

— Nos departamentos da atividade científica existe, às vezes, esse ou aquele missionário com tarefa especializada e conferida tão somente ao seu esforço.

Em se tratando, porém, de ideias e aparelhos novos, nos movimentos evolutivos, as inspirações do plano espiritual são distribuídas em todas as correntes do pensamento humano, percebendo-as, contudo, somente aqueles que se encontram sintonizados com as suas vibrações.

92. O agricultor, aplicando os conhecimentos da ciência para a melhoria do seu meio ambiente e elevação do nível social em que se encontra, cumpre, também, missão espiritual?

— O homem recebeu, igualmente, uma grande tarefa junto ao solo do globo, fonte de manutenção de sua existência, competindo-lhe o bom serviço de cultivar e aperfeiçoar o trato da terra, sob a sua ordenação transitória, porquanto é na oficina do orbe que ele se prepara, de modo geral, para o seu futuro infinito, cheio de beleza e de realizações definitivas no plano eterno.

93. O engenheiro, na movimentação dos patrimônios materiais do orbe, alargando as possibilidades de comunicação entre os povos, é amparado pelas forças espirituais?

— As fontes de proteção do plano invisível amparam todos os esforços generosos e sinceros que objetivam não só o aperfeiçoamento da escola planetária, como também o de seus filhos. Assim, temos de reconhecer no engenheiro abnegado um obreiro do progresso e da fraternidade.

Essa a razão pela qual as grandes obras da Engenharia, em sua feição beneficiária, apesar de materiais, possuem elevada significação pela extensão de sua utilidade ao espírito coletivo.

94. Como é considerada nos planos espirituais a medicina terrena?

— A medicina humana, compreendida e aplicada dentro de suas finalidades superiores, constitui uma nobre missão espiritual.

O médico honesto e sincero, amigo da verdade e dedicado ao bem, é um apóstolo da Providência divina, da qual recebe a precisa assistência e inspiração, sejam quais forem os princípios religiosos por ele esposados na vida.

95. Em face dos esforços da Medicina, como devemos considerar a saúde?

— Para o homem da Terra, a saúde pode significar o equilíbrio perfeito dos órgãos materiais; para o plano espiritual, todavia, a saúde é a perfeita harmonia da alma, para obtenção da qual, muitas vezes, há necessidade da contribuição preciosa das moléstias e deficiências transitórias da Terra.

96. Toda moléstia do corpo tem ascendentes espirituais?

— As chagas da alma se manifestam através do envoltório humano. O corpo doente reflete o panorama interior do Espírito enfermo. A patogenia é um conjunto de inferioridades do aparelho psíquico.

E é ainda na alma que reside a fonte primária de todos os recursos medicamentosos definitivos. A assistência farmacêutica do mundo não pode remover as causas transcendentes do caráter mórbido dos indivíduos. O remédio eficaz está na ação do próprio Espírito enfermiço.

Podeis objetar que as injeções e os comprimidos suprimem a dor; todavia, o mal ressurgirá mais tarde nas células do corpo. Indagareis, aflitos, quanto às moléstias incuráveis pela Ciência da Terra, e eu vos direi que a reencarnação, em si mesma, nas circunstâncias do mundo envelhecido nos abusos, já representa uma estação de tratamento e de cura e que há enfermidades d'alma, tão persistentes, que podem reclamar várias estações sucessivas, com a mesma intensidade nos processos regeneradores.

97. Se as enfermidades são de origem espiritual, é justa a aplicação dos medicamentos humanos, a cirurgia, etc.?

— O homem deve mobilizar todos os recursos ao seu alcance em favor do seu equilíbrio orgânico. Por muito tempo ainda, a humanidade não poderá prescindir da contribuição do clínico, do cirurgião e do farmacêutico, missionários do bem coletivo. O homem tratará da saúde do corpo, até que aprenda a preservá-lo e defendê-lo, conservando a preciosa saúde de sua alma.

Acima de tudo, temos de reconhecer que os serviços de defesa das energias orgânicas, nos processos humanos, como atualmente se verificam, asseguram a estabilidade de uma grande oficina de esforços santificadores no mundo. Quando, porém, o homem espiritual dominar o homem físico, os elementos medicamentosos da Terra estarão transformados na excelência dos recursos psíquicos e essa grande oficina achar-se-á elevada a santuário de forças e possibilidades espirituais junto das almas.

98. Nos processos de cura, como deveremos compreender o passe?

— Assim como a transfusão de sangue representa uma renovação das forças físicas, o passe é uma transfusão de energias psíquicas, com a diferença de que os recursos orgânicos são retirados de um reservatório limitado, e os elementos psíquicos o são do reservatório ilimitado das forças espirituais.

99. Como deve ser recebido e dado o passe?

— O passe poderá obedecer à fórmula que forneça maior porcentagem de confiança, não só a quem o dá, como a quem o recebe. Devemos esclarecer, todavia, que o passe é a transmissão de uma força psíquica e espiritual, dispensando qualquer contato físico na sua aplicação.

100. A chamada "benzedura", conhecida nos meios populares, será uma modalidade do passe?

— As chamadas "benzeduras", tão comuns no ambiente popular, sempre que empregadas na caridade, são expressões humildes do passe regenerador, vulgarizado nas instituições espíritas de socorro e de assistência.

Jesus nos deu a primeira lição nesse sentido, impondo as mãos divinas sobre os enfermos e sofredores, no que foi seguido pelos apóstolos do Cristianismo primitivo. "Toda boa dádiva e dom perfeito vêm do Alto" — dizia o apóstolo, na profundeza de suas explanações. A prática do bem pode assumir as fórmulas mais diversas. Sua essência, porém, é sempre a mesma diante do Senhor.

101. Por que não será permitida às entidades espirituais a revelação dos processos de cura da hanseníase, do câncer, etc.?

— Antes de qualquer consideração, devemos examinar a lei das provações e a necessidade de sua execução plena.

Na própria natureza da Terra e na organização de fluidos inerentes ao planeta, residem todos esses recursos, até hoje empreendidos pela Ciência dos homens. Jesus curava os hansenianos com a simples imposição de suas mãos divinas.

O plano espiritual não pode quebrar o ritmo das leis do esforço próprio, como a direção de uma escola não pode decifrar os problemas relativos à evolução de seus discípulos.

Além de tudo, a doença incurável traz consigo profundos benefícios. Que seria das criaturas terrestres sem as moléstias dolorosas que lhes apodrecem a vaidade? Até onde poderiam ir o orgulho e o personalismo do espírito humano, sem a constante ameaça de uma carne frágil e atormentada?

Observemos as dádivas de Deus no terreno das grandes descobertas, mobilizadas para a guerra de extermínio, e contemplemos com simpatia os hospitais isolados e escuros, onde, tantas vezes, a alma humana se recolhe para as necessárias meditações.

102. Podem os Espíritos amigos atuar sobre a flora microbiana, nas moléstias incuráveis, atenuando os sofrimentos da criatura?

— As entidades amigas podem diminuir a intensidade da dor nas doenças incuráveis, bem como afastá-la completamente, se esse benefício puder ser levado a efeito no quadro das provas individuais, sob os desígnios sábios e misericordiosos do plano superior.

103. No tratamento ministrado pelos Espíritos amigos, a água fluidificada, para um doente, terá o mesmo efeito em outro enfermo?

— A água pode ser fluidificada, de modo geral, em benefício de todos; todavia, pode sê-lo em caráter particular para determinado enfermo, e, neste caso, é conveniente que o uso seja pessoal e exclusivo.

104. Existem condições especiais para que os Espíritos amigos possam fluidificar a água pura, como sejam a presença de médiuns curadores, reuniões de vários elementos, etc.?

— A caridade não pode atender a situações especializadas. A presença de médiuns curadores, bem como as reuniões especiais, de modo algum podem constituir o preço do benefício aos doentes, porquanto os recursos dos guias espirituais, nessa esfera de ação, podem independer do concurso medianímico, considerando o problema dos méritos individuais.

105. O fato de um guia espiritual receitar para determinado enfermo é sinal infalível de que o doente terá de curar-se?

— O guia espiritual é também um irmão e um amigo, que nunca ferirá as vossas mais queridas esperanças.

Aconselhando o uso de uma substância medicamentosa, alvitrando essa ou aquela providência, ele cooperará para as melhoras de um enfermo e, se possível, para o pleno restabelecimento de sua saúde física, mas não poderá modificar a lei das provações ou os desígnios supremos dos planos superiores, na hipótese da desencarnação, porque, dentro da Lei, somente Deus, seu Criador, pode dispensar.

106. A eutanásia é um bem, nos casos de moléstia incurável?

— O homem não tem o direito de praticar a eutanásia, em caso algum, ainda que a mesma seja a demonstração aparente de medida benfazeja.

A agonia prolongada pode ter finalidade preciosa para a alma, e a moléstia incurável pode ser um bem, como a única válvula de escoamento das imperfeições do Espírito em marcha para a sublime aquisição de seus patrimônios da vida imortal. Além do mais, os desígnios divinos são insondáveis e a Ciência precária dos homens não pode decidir nos problemas transcendentes das necessidades do Espírito.

107. Um hospital espírita tem utilidade para a família espírita?

— A fundação de um hospital, em cujos processos de tratamento estejam vivos os princípios do Espiritismo evangélico, constitui realização generosa, na melhor exaltação dos ensinos consoladores dos mensageiros celestiais.

As edificações dessa natureza, todavia, exigem o máximo de renúncia por parte dos que as patrocinem, porquanto, dentro delas o médico do mundo é compelido a esquecer os títulos acadêmicos, para ser um dos mais legítimos missionários daquele Médico das almas que curou os cegos e os hansenianos, os tristes e os endemoninhados, exemplificando o amor e a humildade na entrosagem de todos os serviços pelo bem dos semelhantes.

Um hospital espírita deve ser um lar de Jesus.

Seu aparelhamento é uma maquinaria divina, exigindo idêntica superioridade nos operários chamados a movimentar-lhe as peças, de modo a que se não deturpe a grandeza profunda dos fins.

108. Onde a base mais elevada para os métodos de educação?

— As noções religiosas, com a exemplificação dos mais altos deveres da vida, constituem a base de toda a educação, no sagrado instituto da família.

109. O período infantil é o mais importante para a tarefa educativa?

— O período infantil é o mais sério e o mais propício à assimilação dos princípios educativos.

Até aos sete anos, o Espírito ainda se encontra em fase de adaptação para a nova existência que lhe compete no mundo. Nessa idade, ainda não existe uma integração perfeita entre ele e a matéria orgânica. Suas recordações do plano espiritual são, por isso, mais vivas, tornando-se mais suscetível de renovar o caráter e estabelecer novo caminho, na consolidação dos princípios de responsabilidade, se encontrar nos pais legítimos representantes do colégio familiar.

Eis por que o lar é tão importante para a edificação do homem, e por que tão profunda é a missão da mulher perante as Leis divinas.

Passada a época infantil, credora de toda vigilância e carinho por parte das energias paternais, os processos de educação moral, que formam o caráter, tornam-se mais difíceis com a integração do Espírito em seu mundo orgânico material, e, atingida a maioridade, se a educação não se houver feito no lar, então, só o processo violento das provas rudes, no mundo, pode renovar o pensamento e a concepção das criaturas, porquanto a alma reencarnada terá retomado todo o seu patrimônio nocivo do pretérito e reincidirá nas mesmas quedas, se lhe faltou a luz interior dos sagrados princípios educativos.

110. Qual a melhor escola de preparação das almas reencarnadas, na Terra?

— A melhor escola ainda é o lar, onde a criatura deve receber as bases do sentimento e do caráter.

Os estabelecimentos de ensino, propriamente do mundo, podem instruir, mas só o instituto da família pode educar. É por essa razão que a universidade poderá fazer o cidadão, mas somente o lar pode edificar o homem. Na sua grandiosa tarefa de cristianização, essa é a profunda finalidade do Espiritismo evangélico, no sentido de iluminar a consciência da criatura, a fim de que o lar se refaça e novo ciclo de progresso espiritual se traduza, entre os homens, em lares cristãos, para a nova era da humanidade.

111. *É justa a fundação de institutos para a educação sexual?*

— Quando os professores do mundo estiverem plenamente despreocupados das tabelas administrativas, dos auxílios oficiais, da classificação de salários, das situações de evidência no magistério, das promoções, etc., para sentirem nos discípulos os filhos reais do seu coração, será acertado cogitar-se da fundação de educandários dessa natureza, porquanto haverá muito amor dentro das almas, assegurando o êxito das iniciativas.

Os professores do mundo, todavia, considerado o quadro legítimo das exceções, ainda não passam de servidores do Estado, angustiados na concorrência do profissionalismo. Na sagrada missão de ensinar, eles instruem o intelecto, mas, de modo geral, ainda não sabem iluminar o coração dos discípulos, por necessitados da própria iluminação.

Examinada a questão desse modo, e atendendo às circunstâncias das posições evolutivas, consideramos que os pais são os mestres da educação sexual de seus filhos, indicados naturalmente para essa tarefa, até que o orbe possua, por toda parte, as verdadeiras escolas de Jesus, onde a mulher, em qualquer estado civil, se integre na divina missão da maternidade espiritual de seus pequenos tutelados e onde o homem, convocado ao labor educativo, se transforme num centro de paternal amor e amoroso respeito para com os seus discípulos.

112. Como renovar os processos de educação para a melhoria do mundo?

— As escolas instrutivas do planeta poderão renovar sempre os seus métodos pedagógicos, com esses ou aqueles processos novos, de conformidade com a psicologia infantil, mas a escola educativa do lar só possui uma fonte de renovação que é o Evangelho, e um só modelo de Mestre, que é a personalidade excelsa do Cristo.

113. Os pais espíritas devem ministrar a educação doutrinária a seus filhos ou podem deixar de fazê-lo invocando as razões de que, em matéria de religião, apreciam mais a plena liberdade dos filhos?

— O período infantil, em sua primeira fase, é o mais importante para todas as bases educativas, e os pais espíritas cristãos não podem esquecer seus deveres de orientação aos filhos, nas grandes revelações da vida. Em nenhuma hipótese, essa primeira etapa das lutas terrestres deve ser encarada com indiferença.

O pretexto de que a criança deve desenvolver-se com a máxima noção de liberdade pode dar ensejo a graves perigos. Já se disse, no mundo, que o menino livre é a semente do celerado. A própria reencarnação não constitui, em si mesma, restrição considerável à independência absoluta da alma necessitada de expiação e corretivo? Além disso, os pais espíritas devem compreender que qualquer indiferença nesse particular pode conduzir a criança aos prejuízos religiosos de outrem, ao apego do convencionalismo, e à ausência de amor à verdade. Deve nutrir-se o coração infantil com a crença, com a bondade, com a esperança e com a fé em Deus. Agir contrariamente a essas normas é abrir para o faltoso de ontem a mesma porta larga para os excessos de toda sorte, que conduzem ao aniquilamento e ao crime.

Os pais espíritas devem compreender essa característica de suas obrigações sagradas, entendendo que o lar não se fez para a contemplação egoística da espécie, mas, sim, para santuário onde, por vezes, se exige a renúncia e o sacrifício de uma existência inteira.

114. A economia deve ser dirigida?

— No que se refere à técnica de produção, à necessidade da repartição e aos processos de consumo, é mais que justa a direção da economia; porém, nesse sentido, todo excesso político que prejudique a harmonia na lei das trocas, de que o progresso depende inteiramente, é um erro condenável, com graves consequências para toda a estrutura do organismo coletivo.

Tais excessos deram causa aos sistemas autárquicos de governo, da atualidade, onde perecem todos os ideais de justiça econômica e de fraternidade, em virtude dos erros de visão do mau nacionalismo.

A vida depende de trocas incessantes e toda restrição a esses elevados princípios de harmonia é uma passagem para a destruição revolucionária, onde se invertem todos os valores da vida.

Que a economia seja dirigida, mas que as paixões políticas não penetrem os seus domínios de equilíbrio e reciprocidade, porquanto, na sua influência nefasta, o "bastar-se a si mesmo" é a ideologia sinistra da ambição e do egoísmo, onde o fermento da guerra encontra o clima apropriado para as suas manifestações de violência e extermínio.

2 FILOSOFIA

115. É a Filosofia a interpretação sintética de todas as atividades do Espírito em evolução na Terra?

— A Filosofia constitui, de fato, a súmula das atividades evolutivas do Espírito encarnado, na Terra.

Suas equações são as energias que fecundam a Ciência, espiritualizando lhe os princípios, até que unidas uma à outra, indissoluvelmente, penetrem o átrio divino das verdades eternas.

2.1 VIDA

2.1.1 Aprendizado

116. O homem físico está sempre ligado ao seu pretérito espiritual?

— Como a maioria das criaturas humanas se encontra em lutas expiatórias, podemos figurar o homem terrestre como alguém a lutar para desfazer-se do seu próprio cadáver, que é o passado culposo, de modo a ascender para a vida e para a luz que residem em Deus.

Essa imagem temo-la na semente do mundo que, para desenvolver o embrião, cheio de vitalidade e beleza, necessita do temporário estacionamento no seio lodoso da Terra, a fim de se desfazer do seu envoltório, crescendo, em seguida, para a luz do Sol e cumprindo sua missão sagrada, enfeitada de flores e frutos.

117. A inteligência, julgada pelo padrão humano, será a súmula de várias experiências do Espírito sobre a Terra?

— Os valores intelectivos representam a soma de muitas experiências, em várias vidas do Espírito, no plano material. Uma inteligência profunda significa um imenso acervo de lutas planetárias. Atingida essa posição, se o homem guarda consigo uma expressão idêntica de progresso espiritual, pelo sentimento, então estará apto a elevar-se a novas esferas do Infinito, para a conquista de sua perfeição.

118. Como se registram as experiências do Espírito em uma encarnação, para servirem de patrimônio evolutivo nas encarnações subsequentes?

— É no próprio patrimônio íntimo que a alma registra as suas experiências, no aprendizado das lutas da vida, acerca das quais guardará sempre uma lembrança inata nos trabalhos purificadores do porvir.

119. Como devemos proceder para dilatar nossa capacidade espiritual?

— Ainda não encontramos uma fórmula mais elevada e mais bela que a do esforço próprio, dentro da humildade e do amor, no ambiente de trabalho e de lições da Terra, onde Jesus houve por bem instalar a nossa oficina de perfectibilidade para a futura elevação dos nossos destinos de Espíritos imortais.

120. Pode existir inteligência sem desenvolvimento espiritual?

— Diremos melhor: inteligência humana sem desenvolvimento sentimental, porque nesse desequilíbrio do sentimento e da razão é que repousa atualmente a dolorosa realidade do mundo. O grande erro das criaturas humanas foi entronizar apenas a inteligência, olvidando os valores legítimos do coração nos caminhos da vida.

121. O meio ambiente influi no Espírito?

— O meio ambiente em que a alma renasceu, muitas vezes constitui a prova expiatória; com poderosas influências sobre a personalidade, faz-se indispensável que o coração esclarecido coopere na sua transformação para o bem, melhorando e elevando as condições materiais e morais de todos os que vivem na sua zona de influenciação.

122. Que se deve fazer para o desenvolvimento da intuição?

— O campo do estudo perseverante, com o esforço sincero e a meditação sadia, é o grande veículo de amplitude da intuição, em todos os seus aspectos.

123. Deve o crente criar imposições absolutas para si mesmo, no sentido de alcançar mais depressa a perfeição espiritual?

— O crente deve esforçar-se o mais possível, mas, de modo algum, deve nutrir a pretensão de atingir a superioridade espiritual completa, de uma só vez, porquanto a vida humana é aprendizado de lutas purificadoras e, no cadinho do resgate, nem sempre a temperatura pode ser amena, alcançando, por vezes, ao mais alto grau para o desiderato do acrisolamento.

Em todas as circunstâncias, guarde o cristão a prece e a vigilância: prece ativa, que é o trabalho do bem, e vigilância, que é a prudência necessária, de modo a não trair novos compromissos. E, nesse esforço, a alma estará preparada a estruturar o futuro de si mesma, no caminho eterno do espaço e do tempo, sem o desalento dos tristes e sem a inquietação dos mais afoitos.

124. Qual a importância da palavra humana para as conquistas evolutivas do Espírito?

— A palavra é um dom divino, quando acompanhada dos atos que a testemunhem; e é por meio de seus caracteres falados ou escritos que o homem recebe o patrimônio de experiências sagradas de quantos o antecederam no mecanismo evolutivo das civilizações. É por intermédio de seus poderes que se transmite, de gerações a gerações, o fogo divino do progresso na escola abençoada da Terra.

125. Reconhecendo que os nossos amigos do plano espiritual estão sempre ao nosso lado, em todos os trabalhos e dificuldades, a fim de nos inspirar, quais os maiores obstáculos que a sua bondade encontra em nós, para que recebamos o seu socorro indireto, afetuoso e eficiente?

— Os maiores óbices psíquicos, antepostos pelo homem terrestre aos seus amigos e mentores da espiritualidade, são oriundos da ausência de humildade sincera nos corações, para o exame da própria situação de egoísmo, rebeldia e necessidade de sofrimento.

126. As vibrações relativas ao bem e ao mal, emitidas pela alma encarnada no seu aprendizado terrestre, persistem no Espaço para exame e ponderação do futuro?

— Haveis de convir conosco que existem fenômenos físicos, transcendentes em demasia, para que possamos examiná-los devidamente, na pauta exígua dos vossos conhecimentos atuais.

Todavia, em se tratando de vibrações emitidas pelo Espírito encarnado, somos compelidos a reconhecer que estas vibrações ficam perenemente gravadas na memória de cada um; e a memória é uma chapa fotográfica, onde as imagens jamais se confundem. Bastará a manifestação da lembrança, para serem levadas a efeito todas as ponderações, mais tarde, no capítulo das expressões do mal e do bem.

127. O preceito do "corpo são, mentalidade sadia", poderá ser observado tão somente pelo hábito dos esportes e labores atléticos?

— No que se refere ao "corpo são", o atletismo tem papel importante e seria de ação das mais edificantes ao problema da saúde física, se o homem na sua vaidade e egoísmo não houvesse viciado, também, a fonte da ginástica e do esporte, transformando-a em tablado de entronização da violência, do abastardamento moral da mocidade, iludida com a força bruta e enganada pelos imperativos da chamada eugenia ou pelas competições estranhas dos grupos sectários, desviando de suas nobres finalidades um dos grandes movimentos coletivos em favor da confraternização e da saúde.

Bastará essa observação para compreendermos que a "mentalidade sadia" somente constituirá uma realidade quando houver um perfeito equilíbrio entre os movimentos do mundo e as conquistas interiores da alma.

128. A vida do irracional está revestida igualmente das características missionárias?

— A vida do animal não é propriamente missão, apresentando, porém, uma finalidade superior que constitui a do seu aperfeiçoamento próprio, através das experiências benfeitoras do trabalho e da aquisição, em longos e pacientes esforços, dos princípios sagrados da inteligência.

129. É um erro alimentar-se o homem com a carne dos irracionais?

— A ingestão das vísceras dos animais é um erro de enormes consequências, do qual derivaram numerosos vícios da nutrição humana. É de lastimar semelhante situação, mesmo porque, se o estado de materialidade da criatura exige a cooperação de determinadas vitaminas, esses valores nutritivos podem ser encontrados nos produtos de origem vegetal, sem a necessidade absoluta dos matadouros e frigoríficos.

Temos de considerar, porém, a máquina econômica do interesse e da harmonia coletiva, na qual tantos operários fabricam o seu pão cotidiano. Suas peças não podem ser destruídas de um dia para o outro, sem perigos graves. Consolemo-nos com a visão do porvir, sendo justo trabalharmos, dedicadamente, pelo advento dos tempos novos em que os homens terrestres poderão dispensar da alimentação os despojos sangrentos de seus irmãos inferiores.

130. Operários do aprendizado terrestre, como devemos encarar o texto sagrado do "lembra-te do dia de sábado para santificá-lo", quando as obrigações de serviço proporcionam para isso os domingos?

— O descanso dominical deve ser sagrado pelo homem, não por se tratar de um domingo, mas em virtude da necessidade de se estabelecer uma pausa semanal aos movimentos da vida física, para o recolhimento espiritual da alma em si mesma, no caminho das atividades terrestres. O repouso dominical substitui perfeitamente o sábado antigo, salientando-se que a rigidez da sua observância foi instituída pelos legisladores hebreus, em virtude da ambição e da prepotência dos senhores de escravos, numerosos na época, e que, somente desse modo, atendiam à medida de humanidade, concedendo uma trégua ao esforço exaustivo que costumava aniquilar a existência de servos fracos e indefesos.

O descanso semanal deve ser sempre consagrado pelo homem às expressões de espiritualidade da sua vida, sem se dar, porém, a qualquer excesso no domínio da letra, nesse particular, porque, após a palavra de Moisés, devemos ouvir a lição do Senhor, esclarecendo que "o sábado foi feito para o homem e não o homem para o sábado".

2.1.2 Experiência

131. Como adquire experiência o Espírito encarnado?

— A luta e o trabalho são tão imprescindíveis ao aperfeiçoamento do Espírito, como o pão material é indispensável à manutenção do corpo físico. É trabalhando e lutando, sofrendo e aprendendo, que a alma adquire as experiências necessárias na sua marcha para a perfeição.

132. Há o determinismo e o livre-arbítrio, ao mesmo tempo, na existência humana?

— Determinismo e livre-arbítrio coexistem na vida, entrosando-se na estrada dos destinos, para a elevação e redenção dos homens.

O primeiro é absoluto nas mais baixas camadas evolutivas e o segundo amplia-se com os valores da educação e da experiência. Acresce observar que sobre ambos pairam as determinações divinas, baseadas na lei do amor, sagrada e única, da qual a profecia foi sempre o mais eloquente testemunho.

Não verificais, atualmente, as realizações previstas pelos emissários do Senhor há dois e quatro milênios, no divino simbolismo das Escrituras?

Estabelecida a verdade de que o homem é livre na pauta de sua educação e de seus méritos, na lei das provas, cumpre-nos reconhecer que o próprio homem, à medida que se torna responsável, organiza o determinismo da sua existência, agravando-o ou amenizando-lhe os rigores, até poder elevar-se definitivamente aos planos superiores do universo.

133. Havendo o determinismo e o livre-arbítrio, ao mesmo tempo, na vida humana, como compreender a palavra dos guias espirituais quando afirmam não lhes ser possível influenciar a nossa liberdade?

— Não devemos esquecer que falamos de expressão corpórea, em se tratando do determinismo natural, que prepondera sobre os destinos humanos.

A subordinação da criatura, em suas expressões do mundo físico, é lógica e natural nas leis das compensações, dentro das provas necessárias, mas, no íntimo, zona de pura influenciação espiritual, o homem é livre na escolha do seu futuro caminho. Seus amigos do invisível localizam aí o santuário da sua independência sagrada.

Em todas as situações, o homem educado pode reconhecer onde falam as circunstâncias da vontade de Deus, em seu benefício, e onde falam as que se formam pela força da sua vaidade pessoal ou do seu egoísmo. Com ele, portanto, estará sempre o mérito da escolha, nesse particular.

134. Como pode o homem agravar ou amenizar o determinismo de sua vida?

— A determinação divina na sagrada Lei universal é sempre a do bem e da felicidade, para todas as criaturas.

No lar humano, não vedes um pai amoroso e ativo, com um largo programa de trabalhos pela ventura dos filhos? E cada filho, cessado o esforço da educação na infância, na preparação para a vida, não deveria ser um colaborador fiel da generosa providência paterna pelo bem de toda a comunidade familiar? Entretanto, a maioria dos pais humanos deixa a Terra sem ser compreendida, apesar de todo o esforço despendido na educação dos filhos.

Nessa imagem muito frágil, em comparação com a paternidade divina, temos um similar da situação.

O Espírito que, de algum modo, já armazenou certos valores educativos, é convocado para esse ou aquele trabalho de responsabilidade junto de outros seres em provação rude, ou em busca de conhecimentos para a aquisição da liberdade. Esse trabalho deve ser levado a efeito na linha reta do bem, de modo que esse filho seja o bom cooperador de seu Pai supremo, que é Deus. O administrador de uma instituição, o chefe de uma oficina, o escritor de um livro, o mestre de uma escola têm a sua parcela de independência para colaborar na obra divina, e devem retribuir a confiança espiritual que lhes foi deferida. Os que se educam e conquistam direitos naturais, inerentes à personalidade, deixam de obedecer, de modo absoluto, no determinismo da evolução, porquanto estarão aptos a cooperar no serviço das ordenações, podendo criar as circunstâncias para a marcha ascensional de seus subordinados ou irmãos em humanidade, no mecanismo de responsabilidade da consciência esclarecida.

Nesse trabalho de ordenar com Deus, o filho necessita considerar o zelo e o amor paternos, a fim de não desviar sua tarefa do caminho reto, supondo-se senhor arbitrário das situações, complicando a vida da família humana, e adquirindo determinados compromissos, por vezes bastante penosos, porque, contrariamente ao propósito dos pais, há filhos que desbaratam os "talentos" colocados em suas mãos, na preguiça, no egoísmo, na vaidade ou no orgulho.

Daí a necessidade de concluirmos com a apologia da humanidade, salientando que o homem que atingiu certa parcela de liberdade está retribuindo a confiança do Senhor, sempre que age com a sua vontade misericordiosa e sábia, reconhecendo que o seu esforço individual vale muito, não por ele, mas pelo amor de Deus que o protege e ilumina na edificação de sua obra imortal.

135. Se o Determinismo divino é o do bem, quem criou o mal?

— O Determinismo divino se constitui de uma só Lei, que é a do amor para a comunidade universal. Todavia, confiando em si mesmo, mais do que em Deus, o homem transforma a sua fragilidade em foco de ações contrárias a essa mesma Lei, efetuando, desse modo, uma intervenção indébita na Harmonia divina.

Eis o mal.

Urge recompor os elos sagrados dessa Harmonia sublime.

Eis o resgate.

Vede, pois, que o mal, essencialmente considerado, não pode existir para Deus, em virtude de representar um desvio do homem, sendo zero na Sabedoria e na Providência divinas.

O Criador é sempre o Pai generoso e sábio, justo e Amigo, considerando os filhos transviados como incursos em vastas experiências. Mas, como Jesus e os seus prepostos são seus cooperadores divinos, e eles próprios instituem as tarefas contra o desvio das criaturas humanas, focalizam os prejuízos do mal com a força de suas responsabilidades educativas, a fim de que a humanidade siga retamente no seu verdadeiro caminho para Deus.

136. Existem seres agindo na Terra sob determinação absoluta?

— Os animais e os homens quase selvagens nos dão uma ideia dos seres que agem no planeta sob determinação absoluta. E essas criaturas servem para estabelecer a realidade triste da mentalidade do mundo, ainda distante da fórmula do amor, com que o homem deve ser o legítimo cooperador de Deus, ordenando com a sua sabedoria paternal.

Sem saberem amar os irracionais e os irmãos mais ignorantes colocados sob a sua imediata proteção, os homens mais educados da Terra exterminam os primeiros para a sua alimentação, e escravizam os segundos para objeto de explorações grosseiras, com exceções, de modo a mobilizá-los a serviço do seu egoísmo e da sua ambição.

137. O homem educado deve exercer vigilância sobre o seu grau de liberdade?

— É sobre a independência própria que a criatura humana precisa exercer a vigilância maior.

Quando o homem educado se permite examinar a conduta de outrem, de modo leviano ou inconveniente, é sinal que a sua vigilância padece desastrosa deficiência, porquanto a liberdade de alguém termina sempre onde começa outra liberdade, e cada qual responderá por si, um dia, junto à Verdade divina.

138. Em se tratando das questões do determinismo, qualquer ser racional pode estar sujeito a erros?

— Todo ser racional está sujeito ao erro, mas a ele não se encontra obrigado.

Em plano de provações e de experiências como a Terra, o erro deve ser sempre levado à conta dessas mesmas experiências, tão logo seja reconhecido pelo seu autor direto, ou indireto, tratando-se de aproveitar os seus resultados, em idênticas circunstâncias da vida, sendo louvável que as criaturas abdiquem a repetição dos experimentos, em favor do seu próprio bem no curso infinito do tempo.

139. Se na luta da vida terrestre existem circunstâncias, por toda parte, qual será a melhor de todas, digna de ser seguida?

— Em todas as situações da existência a mente do homem defronta circunstâncias do Determinismo divino e do determinismo humano. A circunstância a ser seguida, portanto, deve ser sempre a do primeiro, a fim de que o segundo seja iluminado, destacando-se essa mesma circunstância pelo seu caráter de benefício geral, muitas vezes com o sacrifício da satisfação egoística da personalidade. Em virtude dessa característica, o homem está sempre habilitado, em seu íntimo, a escolher o bem definitivo de todos e o contentamento transitório do seu "eu", fortalecendo a fraternidade e a luz, ou agravando o seu próprio egoísmo.

140. Os astros influenciam igualmente na vida do homem?

— As antigas assertivas astrológicas têm a sua razão de ser. O campo magnético e as conjunções dos planetas influenciam no complexo celular do homem físico, em sua formação orgânica e em seu nascimento na Terra; porém, a existência planetária é sinônimo de luta. Se as influências astrais não favorecem a determinadas criaturas, urge que estas lutem contra os elementos perturbadores, porque, acima de todas as verdades astrológicas, temos o Evangelho, e este nos ensina que cada qual receberá por suas obras, achando-se cada homem sob as influências que merece.

141. Há influências espirituais entre o ser humano e o seu nome, tanto na Terra, como no Espaço?

— Na Terra ou no plano invisível, temos a simbologia sagrada das palavras; todavia, o estudo dessas influências requer um grande volume de considerações especializadas e, como o nosso trabalho humilde é uma apologia ao esforço de cada um, ainda aqui temos de reconhecer que cada homem recebe as influências a que fez jus, competindo a cada coração renovar seus próprios valores, em marcha para realizações cada vez mais altas, pois que o determinismo de Deus é o do bem, e todos os que se entregarem realmente ao bem, triunfarão de todos os óbices do mundo.

142. Poderíamos receber um ensinamento sobre o número sete, tantas vezes utilizado no ensino das tradições sagradas do Cristianismo?

— Uma opinião isolada nos conduzirá a muitas análises nos domínios da chamada numerologia, fugindo ao escopo de nossas cogitações espirituais.

Os números, como as vibrações, possuem a sua mística natural, mas, em face de nossos imperativos de educação, temos de convir que todos os números, como todas as vibrações, serão sagrados para nós, quando houvermos santificado o coração para Deus, sendo justo, nesse particular, copiarmos a antiga observação do Cristo sobre o sábado, esclarecendo que os números foram feitos para os homens, porém, os homens não foram criados para os números.

143. Deve-se acreditar na influência oculta de certos objetos, como joias, etc., que parecem acompanhados de uma atuação infeliz e fatal?

— Os objetos, mormente os de uso pessoal, têm a sua história viva e, por vezes, podem constituir o ponto de atenção das entidades perturbadas, de seus antigos possuidores no mundo; razão por que parecem tocados, por vezes, de singulares influências ocultas, porém, nosso esforço deve ser o da libertação espiritual, sendo indispensável lutarmos contra os fetiches, para considerar tão somente os valores morais do homem na sua jornada para o perfeito.

144. Os fenômenos premonitórios atestam a possibilidade da presciência com relação ao futuro?

— Os Espíritos de nossa esfera não podem devassar o futuro, considerando essa atividade uma característica dos atributos do Criador supremo, que é Deus. Temos de considerar, todavia, que as existências humanas estão subordinadas a um mapa de provas gerais, onde a personalidade deve movimentar-se com o seu esforço para a iluminação do porvir, e, dentro desse roteiro, os mentores espirituais mais elevados podem organizar os fatos premonitórios, quando convenham à demonstração de que o homem não se resume a um conglomerado de elementos químicos, de conformidade com a definição do materialismo dissolvente.

145. Que dizermos da cartomancia em face do Espiritismo?

— A cartomancia pode enquadrar-se nos fenômenos psíquicos, mas não no Espiritismo evangélico, onde o cristão deve cultivar os valores do seu mundo íntimo pela fé viva e pelo amor no coração, buscando servir a Jesus no santuário de sua alma, não tendo outra vontade que não aquela de se elevar ao seu amor pelo trabalho e iluminação de si mesmo, sem qualquer preocupação pelos acontecimentos nocivos que se foram, ou pelos fatos que hão de vir, na sugestão nem sempre sincera dos que devassam o mundo oculto.

2.1.3 Transição

146. É fatal o instante da morte?

— Com exceção do suicídio, todos os casos de desencarnação são determinados previamente pelas forças espirituais que orientam a atividade do homem sobre a Terra. Esclarecendo-vos quanto a essa exceção, devemos considerar que, se o homem é escravo das condições externas da sua vida no orbe, é livre no mundo íntimo, razão por que, trazendo no seu mapa de provas a tentação de desertar da vida expiatória e retificadora, contrai um débito penoso aquele que se arruína, desmantelando as próprias energias. A educação e a iluminação do íntimo constituem o amor ao santuário de Deus em nossa alma. Quem as realiza em si, na profundeza da liberdade interior, pode modificar o determinismo das condições materiais de sua existência, alçando-a para a luz e para o bem. Os que eliminam, contudo, as suas energias próprias, atentam contra a Luz divina que palpita em si mesmos. Daí o complexo de suas dívidas dolorosas.

E existem ainda os suicídios lentos e gradativos, provocados pela ambição ou pela inércia, pelo abuso ou pela inconsideração, tão perigosos para a vida da alma, quanto os que se observam, de modo espetacular, entre as lutas do mundo.

Essa a razão pela qual tantas vezes se batem os instrutores dos encarnados, pela necessidade permanente de oração e de vigilância, a fim de que os seus amigos não fracassem nas tentações.

147. Proporciona a morte mudanças inesperadas e certas modificações rápidas, como será de desejar?

— A morte não prodigaliza estados miraculosos para a nossa consciência.

Desencarnar é mudar de plano, como alguém que se transferisse de uma cidade para outra, aí no mundo, sem que o fato lhe altere as enfermidades ou as virtudes com a simples modificação dos aspectos exteriores. Importa observar apenas a ampliação desses aspectos, comparando-se o plano terrestre com a esfera de ação dos desencarnados.

Imaginai um homem que passa de sua aldeia para uma metrópole moderna. Como se haverá, na hipótese de não se encontrar devidamente preparado em face dos imperativos da sua nova vida?

A comparação é pobre, mas serve para esclarecer que a morte não é um salto dentro da natureza. A alma prosseguirá na sua carreira evolutiva, sem milagres prodigiosos.

Os dois planos, visível e invisível, se interpenetram no mundo, e, se a criatura humana é incapaz de perceber o plano da vida imaterial, é que o seu sensório está habilitado somente a certas percepções, sem que lhe seja possível, por enquanto, ultrapassar a janela estreita dos cinco sentidos.

148. Que espera o homem desencarnado, diretamente, nos seus primeiros tempos da vida de Além-túmulo?

— A alma desencarnada procura naturalmente as atividades que lhe eram prediletas nos círculos da vida material, obedecendo aos laços afins, tal qual se verifica nas sociedades do vosso mundo.

As vossas cidades não se encontram repletas de associações, de grêmios, de classes inteiras que se reúnem e se sindicalizam para determinados fins, conjugando idênticos interesses de vários indivíduos? Aí, não se abraçam os agiotas, os políticos, os comerciantes, os sacerdotes, objetivando cada grupo a defesa dos seus interesses próprios?

O homem desencarnado procura ansiosamente, no Espaço, as aglomerações afins com o seu pensamento, de modo a continuar o mesmo gênero de vida abandonado na Terra, mas, tratando-se de criaturas apaixonadas e viciosas, a sua mente reencontrará as obsessões de materialidade, quais as do dinheiro, do álcool, etc., obsessões que se tornam o seu martírio moral de cada hora, nas esferas mais próximas da Terra.

Daí a necessidade de encararmos todas as nossas atividades no mundo como a tarefa de preparação para a vida espiritual, sendo indispensável à nossa felicidade, além do sepulcro, que tenhamos um coração sempre puro.

149. Logo após a morte, o homem que se desprende do invólucro material pode sentir a companhia dos entes amados que o precederam no Além-túmulo?

— Se a sua existência terrestre foi o apostolado do trabalho e do amor a Deus, a transição do plano terrestre para a esfera espiritual será sempre suave.

Nessas condições, poderá encontrar imediatamente aqueles que foram objeto de sua afeição no mundo, na hipótese de se encontrarem no mesmo nível de evolução. Uma felicidade doce e uma alegria perene estabelecem-se nesses corações amigos e afetuosos, depois das amarguras da separação e da prolongada ausência.

Entretanto, aqueles que se desprendem da Terra, saturados de obsessões pelas posses efêmeras do mundo e tocados pela sombra das revoltas incompreensíveis, não encontram tão depressa os entes queridos que os antecederam na sepultura. Suas percepções restritas à atmosfera escura dos seus pensamentos e seus valores negativos impossibilitam-lhes as doces venturas do reencontro.

É por isso que observais, tantas vezes, Espíritos sofredores e perturbados fornecendo a impressão de criaturas desamparadas e esquecidas pela esfera da bondade superior, mas, que, de fato, são desamparados por si mesmos, pela sua perseverança no mal, na intenção criminosa e na desobediência aos sagrados desígnios de Deus.

150. É possível que os espíritas venham a sofrer perturbações depois da morte?

— A morte não apresenta perturbações à consciência reta e ao coração amante da verdade e do amor dos que viveram na Terra tão somente para o cultivo da prática do bem, nas suas variadas formas e dentro das mais diversas crenças.

Que o espírita cristão não considere o seu título de aprendiz de Jesus como um simples rótulo, ponderando a exortação evangélica — "muito se pedirá de quem muito recebeu", preparando-se nos conhecimentos e nas obras do bem, dentro das experiências do mundo para a sua vida futura, quando a noite do túmulo houver descerrado aos seus olhos espirituais a visão da verdade, em marcha para as realizações da vida imortal.

151. O Espírito desencarnado pode sofrer com a cremação dos elementos cadavéricos?

— Na cremação, faz-se mister exercer a piedade com os cadáveres, procrastinando por mais horas o ato de destruição das vísceras materiais, pois, de certo modo, existem sempre muitos ecos de sensibilidade entre o Espírito desencarnado e o corpo onde se extinguiu o "tônus vital", nas primeiras horas sequentes ao desenlace, em vista dos fluidos orgânicos que ainda solicitam a alma para as sensações da existência material.

152. A morte violenta proporciona aos desencarnados sensações diversas da chamada "morte natural"?

— A desencarnação por acidentes, os casos fulminantes de desprendimento proporcionam sensações muito dolorosas à alma desencarnada, em vista da situação de surpresa ante os acontecimentos supremos e irremediáveis. Quase sempre, em tais circunstâncias, a criatura não se encontra devidamente preparada, e o imprevisto da situação lhe traz emoções amargas e terríveis.

Entretanto, essas surpresas tristes não se verificam para as almas, no caso das enfermidades dolorosas e prolongadas, em que o coração e o raciocínio se tocam das luzes das meditações sadias, observando as ilusões e os prejuízos do excessivo apego à Terra, sendo justo considerarmos a utilidade e a necessidade das dores físicas, nesse particular, porquanto somente com o seu concurso precioso pode o homem alijar o fardo de suas impressões nocivas do mundo, para penetrar tranquilamente os umbrais da vida do Infinito.

153. Se a hora da morte não houver chegado, poderá o homem perecer sob os perigos que o ameacem?

— Nos aspectos externos da vida, e desde que o Espírito encarnado proceda de conformidade com os ditames da consciência retilínea e do coração bem-intencionado, sem a imponderação dos precipitados e sem o egoísmo dos ambiciosos, toda e qualquer defesa do homem reside em Deus.

154. Quais as primeiras impressões dos que desencarnam por suicídio?

— A primeira decepção que os aguarda é a realidade da vida que se não extingue com as transições da morte do corpo físico, vida essa agravada por tormentos pavorosos, em virtude de sua decisão tocada de suprema rebeldia.

Suicidas há que continuam experimentando os padecimentos físicos da última hora terrestre, em seu corpo somático, indefinidamente. Anos a fio, sentem as impressões terríveis do tóxico que lhes aniquilou as energias, a perfuração do cérebro pelo corpo estranho partido da arma usada no gesto supremo, o peso das rodas pesadas sob as quais se atiraram na ânsia de desertar da vida, a passagem das águas silenciosas e tristes sobre os seus despojos, onde procuraram o olvido criminoso de suas tarefas no mundo e, comumente, a pior emoção do suicida é a de acompanhar, minuto a minuto, o processo da decomposição do corpo abandonado no seio da terra, verminado e apodrecido.

De todos os desvios da vida humana o suicídio é, talvez, o maior deles pela sua característica de falso heroísmo, de negação absoluta da lei do amor e de suprema rebeldia à vontade de Deus, cuja Justiça nunca se fez sentir, junto dos homens, sem a Luz da Misericórdia.

155. O receio da morte revela falta de evolução espiritual?

— Nesse sentido, não podemos generalizar semelhante definição.

No que se refere a esses receios, somos obrigados a reconhecer, muitas vezes, as razões aduzidas pelo amor, sempre sublimes na sua manifestação espiritual. Todavia, não é justo que o crente sincero se encha de pavores ante a ideia de sua passagem para o plano invisível aos olhos humanos, sendo oportuno o conselho de uma preparação permanente do homem para a vida nova que a morte lhe apresentará.

156. Os Espíritos logo após a sua desencarnação ficam satisfeitos pela possibilidade de se comunicarem conosco?

— De modo geral, muito reduzido é o número das criaturas humanas que se preparam para as emoções da morte, no desenvolvimento dos seus trabalhos comuns na Terra e, frequentemente, as meditações da enfermidade não bastam para uma situação de perfeita tranquilidade, nos primeiros tempos do Além-túmulo. Eis o motivo por que tão salutares se fazem as vossas reuniões de estudo e de evangelização, às quais concorre grande número de irmãos nossos, ansiosos por uma palavra da Terra, porquanto as impressões que trazem do mundo não lhes permitem a percepção dos mentores elevados, das mais altas esferas espirituais.

157. Os Espíritos desencarnados podem ouvir-nos e ver-nos quando querem? Como procedem para realizar semelhante desejo?

— Isso é possível, não quando querem, mas quando o mereçam, mesmo porque, existem Espíritos culpados que, somente muitos anos após o desprendimento do mundo, conseguem a permissão de ouvir a palavra amiga e confortadora dos seus irmãos ou entes amados, da Terra, a fim de se orientarem no labirinto dos sofrimentos expiatórios. O comparecimento de uma entidade recém-desencarnada às reuniões do Evangelho já significa uma bênção de Deus para o seu coração desiludido, porquanto essa circunstância se faz acompanhar dos mais elevados benefícios para a sua vida interior.

Quanto ao processo do seu contato convosco, precisamos considerar que os seres do Além-túmulo, em sua generalidade, para se comunicarem nos ambientes do mundo, adaptam-se ao vosso modo de ser, condicionando suas faculdades à vossa situação fluídica na Terra; razão pela qual nesses instantes, na forma comum, possuem a vossa capacidade sensorial, restringindo as suas vibrações de modo a se acomodarem, de novo, ao ambiente terrestre.

158. Se uma criatura desencarna deixando inimigos na Terra, é possível que continue perseguindo o seu desafeto, dentro da situação de invisibilidade?

— Isso é possível e quase geral, no capítulo das relações terrestres, porque, se o amor é o laço que reúne as almas nas alegrias da liberdade, o ódio é a algema dos forçados, que os prende reciprocamente no cárcere da desventura.

Se alguém partiu odiando, e se no mundo o desafeto faz questão de cultivar os germens da antipatia e das lembranças cruéis, é mais que natural que, no plano invisível, perseverem os elementos da aversão e da vindita implacáveis, em obediência às leis de reciprocidade, depreendendo-se daí a necessidade do perdão com o inteiro esquecimento do mal, a fim de que a fraternidade pura se manifeste por meio da oração e da vigilância, convertendo o ódio em amor e piedade, com os exemplos mais santos no Evangelho de Jesus.

159. No caso das perseguições dos inimigos espirituais, a ação deles se realiza sem o conhecimento dos nossos guias amorosos e esclarecidos?

— As chamadas atuações do plano invisível, de qualquer natureza, não se verificam à revelia de Jesus e de seus prepostos, mentores do homem na sua jornada de experiências para o conhecimento e para a luz.

As perseguições de um inimigo invisível têm um limite e não afetam o seu objeto senão na pauta de sua necessidade própria, porquanto, sob os olhos amoráveis dos vossos guias do plano superior, todos esses movimentos têm uma finalidade sagrada, como a de ensinar-vos a fortaleza moral, a tolerância, a paciência, a conformação, nos mais sagrados imperativos da fraternidade e do bem.

160. Os Espíritos desencarnados se dividem, igualmente, nas esferas mais próximas da Terra, em seres femininos e masculinos?

— Nas esferas mais próximas do planeta, as almas desencarnadas conservam as características que lhes eram mais agradáveis nas atividades da existência material, considerando-se que algumas, que perambulam no mundo com uma veste orgânica imposta pelas circunstâncias da tarefa a realizar junto às criaturas terrenas, retomam as suas condições anteriores à reencarnação, então enriquecidas, se bem souberam cumprir os seus deveres no plano das dores e das dificuldades materiais.

Dilatando, porém, a questão, devemos ponderar que os Espíritos, com esses ou aqueles traços característicos, estão em marcha para Deus, purificando todos os sentimentos e embelezando as próprias faculdades, a fim de refletirem a Luz divina, transformando-se, então, nessas ou naquelas condições, em perfeitos executores dos desígnios do Eterno.

2.2 SENTIMENTO

2.2.1 Arte

161. Que é a Arte?

— A Arte pura é a mais elevada contemplação espiritual por parte das criaturas. Ela significa a mais profunda exteriorização do ideal, a divina manifestação desse *mais além* que polariza as esperanças da alma. O artista verdadeiro é sempre o *médium* das belezas eternas, e o seu trabalho, em todos os tempos, foi tanger as cordas mais vibráteis do sentimento humano, alçando-o da Terra para o Infinito e abrindo, em todos os caminhos, a ânsia dos corações para Deus, nas suas manifestações supremas de beleza, de sabedoria, de paz e de amor.

162. Todo artista pode ser também um missionário de Deus?

— Os artistas, como os chamados sábios do mundo, podem enveredar, igualmente, pelas cristalizações do convencionalismo terrestre, quando nos seus corações não palpite a chama dos ideais divinos, mas, na maioria das vezes, têm sido grandes missionários das ideias, sob a égide do Senhor, em todos os departamentos da atividade que lhes é própria, como a literatura, a música, a pintura, a plástica.

Sempre que a sua arte se desvencilha dos interesses do mundo, transitórios e perecíveis, para considerar tão somente a luz espiritual que vem do coração uníssono com o cérebro, nas realizações da vida, então o artista é um dos mais devotados missionários de Deus, porquanto saberá penetrar os corações na paz da meditação e do silêncio, alcançando o mais alto sentido da evolução de si mesmo e de seus irmãos em humanidade.

163. Pode alguém fazer-se artista tão só pela educação especializada em uma existência?

— A perfeição técnica, individual de um artista, bem como as suas mais notáveis características, não constituem a resultante das atividades de uma vida, mas de experiências seculares na Terra e na esfera espiritual, porquanto o gênio, em qualquer sentido, nas manifestações artísticas mais diversas, é a síntese profunda de vidas numerosas, em que a perseverança e o esforço se casaram para as mais brilhantes florações da espontaneidade.

164. Como devemos compreender o gênio?

— O gênio constitui a súmula dos mais longos esforços em múltiplas existências de abnegação e de trabalho, na conquista dos valores espirituais.

Entendendo a vida pelo seu prisma real, muita vez desatende ao círculo estreito da vida terrestre, no que se refere às suas fórmulas convencionais e aos seus preconceitos, tornando-se um estranho ao seu próprio meio, por suas qualidades superiores e inconfundíveis.

Esse é o motivo por que a Ciência terrestre, encarcerada nos cânones do convencionalismo, presume observar no gênio uma psicose condenável, tratando-o, quase sempre, como a célula enferma do organismo social, para glorificá-lo, muitas vezes, depois da morte, tão logo possa apreender a grandeza da sua visão espiritual na paisagem do futuro.

165. Como poderemos entender o psiquismo dos artistas, tão diferente do que caracteriza o homem comum?

— O artista, de modo geral, vive quase sempre mais na esfera espiritual que propriamente no plano terrestre.

Seu psiquismo é sempre a resultante do seu mundo íntimo, cheio de recordações infinitas das existências passadas, ou das visões sublimes que conseguiu apreender nos círculos de vida espiritual, antes da sua reencarnação no mundo.

Seus sentimentos e percepções transcendem aos do homem comum, pela sua riqueza de experiências no pretérito, situação essa que, por vezes, dá motivos à falsa apreciação da Ciência humana, que lhe classifica os transportes como neurose ou anormalidade, nos seus erros de interpretação.

É que, em vista da sua posição psíquica especial, o artista nunca cede às exigências do convencionalismo do planeta, mantendo-se acima dos preconceitos contemporâneos, salientando-se que, muita vez, na demasia de inconsideração pela disciplina, apesar de suas qualidades superiores, pode entregar-se aos excessos nocivos à liberdade, quando mal dirigida ou falsamente aproveitada.

Eis por que, em todas as situações, o ideal divino da fé será sempre o antídoto dos venenos morais, desobstruindo o caminho da alma para as conquistas elevadas da perfeição.

166. No caso dos artistas que triunfaram sem qualquer amparo do mundo e se fizeram notáveis tão só pelos valores da sua vocação, traduzem suas obras alguma recordação da vida no Infinito?

— As grandes obras-primas da arte, na maioria das vezes, significam a concretização dessas lembranças profundas. Todavia, nem sempre constituem um traço das belezas entrevistas no Além pela mentalidade que as concebeu, e sim recordações de existências anteriores, entre as lutas e as lágrimas da Terra.

Certos pintores notáveis, que se fizeram admirados por obras levadas a efeito sem os modelos humanos, trouxeram à luz nada mais nada menos que as suas próprias recordações perdidas no tempo, na sombra apagada da paisagem de vidas que se foram. Relativamente aos escritores, aos amigos da ficção literária, nem sempre as suas concepções obedecem à fantasia, porquanto são filhas de lembranças inatas, com as quais recompõem o drama vivido pela sua própria individualidade nos séculos mortos.

O mundo impressivo dos artistas tem permanentes relações com o passado espiritual, de onde extraem eles o material necessário à construção espiritual de suas obras.

167. Os grandes músicos, quando compõem peças imortais, podem ser também influenciados por lembranças de uma existência anterior?

— Essa atuação pode verificar-se no que se refere às possibilidades e às tendências, mas, no capítulo da composição, os grandes músicos da Terra, com méritos universais, não obedecem a lembranças do pretérito, e sim a gloriosos impulsos das forças do Infinito, porquanto a música na Terra é, por excelência, a arte divina.

As óperas imortais não nasceram do lodo terrestre, mas da profunda harmonia do universo, cujos cânticos sublimes foram captados parcialmente pelos compositores do mundo, em momentos de santificada inspiração.

Apenas desse modo podereis compreender a sagrada influência que a música nobre opera nas almas, arrebatando-as, em quaisquer ocasiões, às ideias indecisas da Terra, para as vibrações do íntimo com o Infinito.

168. Os Espíritos desencarnados cuidam igualmente dos valores artísticos no plano invisível para os homens?

— Temos de convir que todas as expressões de Arte na Terra representam traços de espiritualidade, muitas vezes estranhos à vida do planeta.

Por meio dessa realidade, podereis reconhecer que a arte, em qualquer de suas formas puras, constitui objeto da atenção carinhosa dos invisíveis, com possibilidades outras que o artista do mundo está muito longe de imaginar.

No Além, é com o seu concurso que se reformam os sentimentos mais impiedosos, predispondo as entidades infelizes às experiências expiatórias e purificadoras. E é crescendo nos seus domínios de perfeição e de beleza que a alma evolve para Deus, enriquecendo-se nas suas sublimadas maravilhas.

169. A emotividade deve ser disciplinada?

— Qualquer expressão emotiva deve ser disciplinada pela fé, porquanto a sua expansão livre, na base das incompreensões do mundo, pode fazer-se acompanhar de graves consequências.

170. Com tantas qualidades superiores para o bem, pode o artista de gênio transformar-se em instrumento do mal?

— O homem genial é como a inteligência que houvesse atingido as mais perfeitas condições de técnica realizadora, por haver alcançado os elementos da espontaneidade; essa aquisição, porém, não o exime da necessidade de progredir moralmente, iluminando a fonte do coração.

Em vista de numerosas organizações geniais não haverem alcançado a culminância de sentimento é que temos contemplado, muitas vezes, no mundo, os talentos mais nobres encarcerados em tremendas obsessões, ou anulados em desvios dolorosos, porquanto, acima de todas as conquistas propriamente materiais, a criatura deve colocar a fé, como o eterno ideal divino.

171. De modo geral, todos os homens terão de buscar os valores artísticos para a personalidade?

— Sim; através de suas vidas numerosas a alma humana buscará a aquisição desses patrimônios, porquanto é justo que as criaturas terrenas possam levar da sua escola de provações e de burilamento, que é o planeta, todas as experiências e valores, suscetíveis de serem encontrados nas lutas da esfera material.

172. Existem, de fato, uma arte antiga e uma arte moderna?

— A arte evolve com os homens e, representando a contemplação espiritual de quantos a exteriorizam, será sempre a manifestação da beleza eterna, condicionada ao tempo e ao meio de seus expositores.

A arte, pois, será sempre uma só, na sua riqueza de motivos, dentro da espiritualidade infinita.

Ponderemos, contudo, que, se existe hoje grande número de talentos com a preocupação excessiva de originalidade, dando curso às expressões mais extravagantes de primitivismo, esses são os cortejadores irrequietos da glória mundana que, mais distanciados da arte legítima, nada mais conseguem que refletir a perturbação dos tempos que passam, apoiando o domínio transitório da futilidade e da força. Eles, porém, passarão como passam todas as situações incertas de um cataclismo, como zangões da sagrada colmeia da beleza divina, que, em vez de espiritualizarem a natureza, buscam deprimi-la com as suas concepções extravagantes e doentias.

2.2.2 Afeição

173. Como devemos entender a simpatia e a antipatia?

— A simpatia ou a antipatia têm as suas raízes profundas no Espírito, na sutilíssima entrosagem dos fluidos peculiares a cada um e, quase sem sensações experimentadas pela criatura, desde o pretérito delituoso, em iguais circunstâncias.

Devemos, porém, considerar que toda antipatia, aparentemente a mais justa, deve morrer para dar lugar à simpatia que edifica o coração para o trabalho construtivo e legítimo da fraternidade.

174. Poderemos obter uma definição da amizade?

— Na gradação dos sentimentos humanos, a amizade sincera é bem o oásis de repouso para o caminheiro da vida, na sua jornada de aperfeiçoamento.

Nos trâmites da Terra, a amizade leal é a mais formosa modalidade do amor fraterno, que santifica os impulsos do coração nas lutas mais dolorosas e inquietantes da existência.

Quem sabe ser amigo verdadeiro é, sempre, o emissário da ventura e da paz, alistando-se nas fileiras dos discípulos de Jesus, pela iluminação natural do Espírito que, conquistando as mais vastas simpatias entre os encarnados e as entidades bondosas do Invisível, sabe irradiar por toda parte as vibrações dos sentimentos purificadores.

Ter amizade é ter coração que ama e esclarece, que compreende e perdoa, nas horas mais amargas da vida. Jesus é o divino amigo da humanidade. Saibamos compreender a sua afeição sublime e transformaremos o nosso ambiente afetivo num oceano de paz e consolação perenes.

175. O instituto da família é organizado no plano espiritual, antes de projetar-se na Terra?

— O colégio familiar tem suas origens sagradas na esfera espiritual. Em seus laços, reúnem-se todos aqueles que se comprometeram, no Além, a desenvolver na Terra uma tarefa construtiva de fraternidade real e definitiva.

Preponderam nesse instituto divino os elos do amor, fundidos nas experiências de outras eras; todavia, aí acorrem igualmente os ódios e as perseguições do pretérito obscuro, a fim de se transfundirem em solidariedade fraternal, com vistas ao futuro.

É nas dificuldades provadas em comum, nas dores e nas experiências recebidas na mesma estrada de evolução redentora, que se olvidam as amarguras do passado longínquo, transformando-se todos os sentimentos inferiores em expressões regeneradas e santificantes.

Purificadas as afeições, acima dos laços do sangue, o sagrado instituto da família se perpetua no Infinito, através dos laços imperecíveis do Espírito.

176. As famílias espirituais no plano invisível são agrupadas em falanges e aumentam ou diminuem, como se verifica na Terra?

— Os núcleos familiares do Além agrupam-se, igualmente, em falanges, continuam aí a obra de iluminação e de redenção de alguns componentes dos grupos, elementos mais rebeldes ou estacionários, que são impelidos, pelos seus companheiros afins, aos esforços edificantes, na conquista do amor e da sabedoria.

De maneira natural, todos esses núcleos se dilatam, à medida que se aproximam da compreensão do Onipotente, até alcançarem o luminoso plano de unificação divina, com as aquisições eternas e inalienáveis do Infinito.

177. As famílias espirituais possuem também um chefe?

— Todas as coletividades espirituais estão reunidas, em suas características familiares, pelas santas afinidades d'alma, e cada uma possui o seu grande mentor nos planos mais elevados, de onde promanam as substâncias eternas do amor e da sabedoria.

178. Poderíamos receber algum esclarecimento sobre a lei das afinidades entre os Espíritos desencarnados?

— Na Terra, as criaturas humanas muitas vezes revelam as suas afinidades nos interesses materiais, que podem dissimular a verdadeira posição moral da personalidade; no mundo dos Espíritos elevados, porém, as afinidades legítimas se revelam sem qualquer artifício, pelos sentimentos mais puros.

179. No capítulo das afeições terrenas, o casar ou não casar está fora da vontade dos seres humanos?

— O matrimônio na Terra é sempre uma resultante de determinadas resoluções, tomadas na vida do Infinito, antes da reencarnação dos Espíritos, seja por orientação dos mentores mais elevados, quando a entidade não possui a indispensável educação para manejar as suas próprias faculdades, ou em consequência de compromissos livremente assumidos pelas almas, antes de suas novas experiências no mundo; razão pela qual os consórcios humanos estão previstos na existência dos indivíduos, no quadro escuro das provas expiatórias, ou acervo de valores das missões que regeneram e santificam.

180. A indiferença nas manifestações de sensibilidade afetiva, dentro dos processos de evolução da vida na Terra, nas horas de dor e de alegria, é atitude justificável como medida de vigilância espiritual?

— A indiferença que se traduz por cristalização dos sentimentos é sempre perigosa para a vida da alma; todavia, existem atitudes no domínio da exteriorização emocional, que se justificam pela nobreza de suas expressões educativas.

181. Como entender o sentimento da cólera nos trâmites da vida humana?

— A cólera não resolve os problemas evolutivos e nada mais significa que um traço de recordação dos primórdios da vida humana em suas expressões mais grosseiras.

A energia serena edifica sempre, na construção dos sentimentos purificadores; mas a cólera impulsiva, nos seus movimentos atrabiliários, é um vinho envenenado de cuja embriaguez a alma desperta sempre com o coração tocado de amargosos ressaibos.

182. O remorso é uma punição?

— O remorso é a força que prepara o arrependimento, como este é a energia que precede o esforço regenerador. Choque espiritual nas suas características profundas, o remorso é o interstício para a luz, por meio do qual recebe o homem a cooperação indireta de seus amigos do Invisível, a fim de retificar seus desvios e renovar seus valores morais, na jornada para Deus.

183. Como se interpreta o ciúme no plano espiritual?

— O ciúme, propriamente considerado nas suas expressões de escândalo e de violência, é um indício de atraso moral ou de estacionamento no egoísmo, dolorosa situação que o homem somente vencerá a golpes de muito esforço, na oração e na vigilância, de modo a enriquecer o seu íntimo com a luz do amor universal, começando pela piedade para com todos os que sofrem e erram, guardando também a disposição sadia para cooperar na elevação de cada um.

Só a compreensão da vida, colocando-nos na situação de quem errou ou de quem sofre, a fim de iluminarmos o raciocínio para a análise serena dos acontecimentos, poderá aniquilar o ciúme no coração, de modo a cerrar-se a porta ao perigo, pela qual toda alma pode atirar-se a terríveis tentações, com largos reflexos nos dias do futuro.

184. Como devemos efetuar nossa autoeducação, esclarecida pela luz do Evangelho, nos problemas das atrações sexuais, cujas tendências egoístas tantas vezes nos levam a atitudes antifraternais?

— Não devemos esquecer que o amor sexual deve ser entendido como o impulso da vida que conduz o homem às grandes realizações do amor divino, por meio da progressividade de sua espiritualização no devotamento e no sacrifício.

Toda vez que experimentardes disposições antifraternais em seu círculo, isso significa que preponderam em vossa organização psíquica as recordações prejudiciais, tendentes ao estacionamento na marcha evolutiva.

É aí que urge o esforço da autoeducação, porquanto toda criatura necessita resolver o problema da renovação de seus próprios valores.

Haveis de observar que Deus não extermina as paixões dos homens, mas fá-las evoluir, convertendo-as pela dor em sagrados patrimônios da alma, competindo às criaturas dominar o coração, guiar os impulsos, orientar as tendências, na evolução sublime dos seus sentimentos.

Examinando-se, ainda, o elevado coeficiente de viciação do amor sexual, que os homens criaram para os seus destinos, somos obrigados a ponderar que, se muitos contraem débitos penosos, entre os excessos da fortuna, da inteligência e do poder, outros o fazem pelo sexo, abusando de um dos mais sagrados pontos de referência de sua vida.

É por esse motivo que observamos, muitas vezes, almas numerosas aprendendo, entre as angústias sexuais do mundo, a renúncia e o sacrifício, em marcha para as mais puras aquisições do amor divino. Depreende-se, pois, que, em vez da educação sexual pela satisfação dos instintos, é imprescindível que os homens eduquem sua alma para a compreensão sagrada do sexo.

2.2.3 Dever

185. Quais as características de uma boa ação?

— A boa ação é sempre aquela que visa ao bem de outrem e de quantos lhe cercam o esforço na vida. Nesse problema, o critério do bem geral deve ser a essência de qualquer atitude. A melhor ação pode, às vezes, padecer a incompreensão alheia, no instante em que é exteriorizada, mas será sempre vitoriosa, a qualquer tempo, pelo benefício prestado ao indivíduo ou à coletividade.

186. O *acaso* deve entrar nas cogitações da vida de um espírita cristão?

— O acaso, propriamente considerado, não pode entrar nas cogitações do sincero discípulo da verdade evangélica.

No capítulo do trabalho e do sofrimento, a sua alma esclarecida conhece a necessidade da própria redenção, com vistas ao passado delituoso e, no que se refere aos desvios e erros do presente, melhor que ninguém a sua consciência deve saber da intervenção indébita levada a efeito sobre a lei de amor, estabelecida por Deus, cumprindo-lhe aguardar, conscientemente, sem qualquer noção de acaso, os resgates e reparações dolorosas do futuro.

187. Qual a atitude mental que mais favorecerá o nosso êxito espiritual nos trabalhos do mundo?

— Essa atitude deve ser a que vos é ensinada pela Lei divina, na reencarnação em que vos encontrais, isto é, a do esquecimento de todo o mal, para recordar apenas o bem e a sagrada oportunidade de trabalho e edificação, no patrimônio eterno do tempo.

Esquecer o mal é aniquilá-lo, e perdoar a quem o pratica é ensinar o amor, conquistando afeições sinceras e preciosas.

Daí a necessidade do perdão, no mundo, para que o incêndio do mal possa ser exterminado, devolvendo-se a paz legítima aos corações.

188. Como devem proceder os cônjuges para bem cumprir seus deveres?

— O matrimônio muito frequentemente, na Terra, constitui uma prova difícil, mas redentora.

Os cônjuges, desvelados por bem cumprir suas obrigações divinas, devem observar o máximo de atenção, respeito e carinho mútuos, concentrando-se ambos no lar, sempre que haja um perigo ameaçando-lhes a felicidade doméstica, porque na prece e na vigilância espiritual encontrarão sempre as melhores defesas.

No lar, muitas vezes, quando um dos cônjuges se transvia, a tarefa é de lutas e lágrimas penosas; porém, no sacrifício, toda alma se santifica e se ilumina, transformando-se em modelo no sagrado instituto da família.

Para alcançar a paciência e o heroísmo domésticos, faz-se mister a mais entranhada fé em Deus, tomando-se como espelho divino a exemplificação de Jesus, no seu apostolado de abnegação e de dor, à face da Terra.

189. Que deve fazer a mãe terrestre para cumprir evangelicamente os seus deveres, conduzindo os filhos para o bem e para a verdade?

— No ambiente doméstico, o coração maternal deve ser o expoente divino de toda a compreensão espiritual e de todos os sacrifícios pela paz da família.

Dentro dessa esfera de trabalho, na mais santificada tarefa de renúncia pessoal, a mulher cristã acende a verdadeira luz para o caminho dos filhos através da vida.

A missão materna resume-se em dar sempre o amor de Deus, o Pai de infinita Bondade, que pôs no coração das mães a sagrada essência da vida. Nos labores do mundo, existem aquelas que se deixam levar pelo egoísmo do ambiente particularista; contudo, é preciso acordar a tempo, de modo a não viciar a fonte da ternura.

A mãe terrestre deve compreender, antes de tudo, que seus filhos, primeiramente, são filhos de Deus.

Desde a infância, deve prepará-los para o trabalho e para a luta que os esperam.

Desde os primeiros anos, deve ensinar a criança a fugir do abismo da liberdade, controlando-lhe as atitudes e consertando-lhe as posições mentais, pois que essa é a ocasião mais propícia à edificação das bases de uma vida. Deve sentir os filhos de outras mães como se fossem os seus próprios, sem guardar, de modo algum, a falsa compreensão de que os seus são melhores e mais altamente aquinhoados que os das outras.

Ensinará a tolerância mais pura, mas não desdenhará a energia quando seja necessária no processo da educação, reconhecida a heterogeneidade das tendências e a diversidade dos temperamentos.

Sacrificar-se-á de todos os modos ao seu alcance, sem quebrar o padrão de grandeza espiritual da sua tarefa, pela paz dos filhos, ensinando-lhes que toda dor é respeitável, que todo trabalho edificante é divino, e que todo desperdício é falta grave.

Ensinar-lhes-á o respeito pelo infortúnio alheio, para que sejam igualmente amparados no mundo, na hora de amargura que os espera, comum a todos os Espíritos encarnados.

Nos problemas da dor e do trabalho, da provação e da experiência, não deve dar razão a qualquer queixa dos filhos, sem exame desapaixonado e meticuloso das questões, levantando-lhes os sentimentos para Deus, sem permitir que estacionem na futilidade ou nos prejuízos morais das situações transitórias do mundo.

Será ela no lar o bom conselho sem parcialidade, o estímulo do trabalho e a fonte de harmonia para todos.

Buscará na piedosa mãe de Jesus o símbolo das virtudes cristãs, transmitindo aos que a cercam os dons sublimes da humildade e da perseverança, sem qualquer preocupação pelas gloríolas efêmeras da vida material. Cumprindo esse programa de esforço evangélico, na hipótese de fracassarem todas as suas dedicações e renúncias, compete às mães incompreendidas entregar o fruto de seus labores a Deus, prescindindo de qualquer julgamento do mundo, pois que o Pai de Misericórdia saberá apreciar os seus sacrifícios e abençoará as suas penas, no instituto sagrado da vida familiar.

190. Quando os filhos são rebeldes e incorrigíveis, impermeáveis a todos os processos educativos, como devem proceder os pais?

— Depois de movimentar todos os processos de amor e de energia no trabalho de orientação educativa dos filhos, é justo que os responsáveis pelo instituto familiar, sem descontinuidade da dedicação e do sacrifício, esperem a manifestação da Providência divina para o esclarecimento dos filhos incorrigíveis, compreendendo que essa manifestação deve chegar por meio de dores e de provas acerbas, de modo a semear-lhes, com êxito, o campo da compreensão e do sentimento.

191. Como poderão os pais despertar no íntimo do filho rebelde as noções sagradas do dever e das obrigações para com Deus Todo-Poderoso, de quem somos filhos?

— Depois de esgotar todos os recursos a bem dos filhos e depois da prática sincera de todos os processos amorosos e enérgicos pela sua formação espiritual, sem êxito algum, é preciso que os pais estimem nesses filhos adultos, que não lhes apreenderam a palavra e a exemplificação, os irmãos indiferentes ou endurecidos de sua alma, comparsas do passado delituoso, que é necessário entregar a Deus, de modo que sejam naturalmente trabalhados pelos processos tristes e violentos da educação do mundo.

A dor tem possibilidades desconhecidas para penetrar os Espíritos, onde a linfa do amor não conseguiu brotar, não obstante o serviço inestimável do afeto paternal, humano.

Eis a razão pela qual, em certas circunstâncias da vida, faz-se mister que os pais estejam revestidos de suprema resignação, reconhecendo no sofrimento que persegue os filhos a manifestação de uma bondade superior, cujo buril oculto, constituído por sofrimentos, remodela e aperfeiçoa com vistas ao futuro espiritual.

192. A mentira retarda o desenvolvimento do Espírito?

— Mentira não é ato de guardar a verdade para o momento oportuno, porquanto essa atitude mental se justifica na própria lição do Senhor, que recomendava aos discípulos não atirarem a esmo a semente bendita dos seus ensinos de amor.

A mentira é a ação capciosa que visa ao proveito imediato de si mesmo, em detrimento dos interesses alheios em sua feição legítima e sagrada; e essa atitude mental da criatura é das que mais humilham a personalidade humana, retardando, por todos os modos, a evolução divina do Espírito.

193. A verdade quando dita com sinceridade e franqueza rudes pode retardar o progresso espiritual pela dor que causa?

— A verdade é a essência espiritual da vida.

Cada homem ou cada grupo de criaturas possui o seu quinhão de verdades relativas, com o qual se alimentam as almas nos vários planos evolutivos.

O coração que retém uma parcela maior está habilitado a alimentar seus irmãos a caminho de aquisições mais elevadas; todavia, é imprescindível o melhor critério amoroso na distribuição dos bens da verdade, porquanto esses bens devem ser fornecidos de acordo com a capacidade de compreensão do Espírito a que se destina o ensinamento, de maneira que o esforço não se faça acompanhar de resultados contraproducentes.

Ainda aqui, podemos examinar os exemplos da natureza material.

A nutrição de um menino deve conter a substância mantenedora da vida, mas não pode ser análoga à nutrição do adulto. A despreocupação nesse assunto poderia levar a criança ao aniquilamento, embora as substâncias ministradas estivessem repletas de elementos vitais.

194. Devemos contar, de maneira absoluta, com o auxílio dos guias espirituais em nossas realizações humanas?

— Um guia espiritual poderá cooperar sempre em vossos trabalhos, seja auxiliando-vos nas dificuldades, de maneira indireta, ou confortando-vos na dor, estimulando-vos para a edificação moral, imprescindível à iluminação de cada um; entretanto, não deveis tomar as suas expressões fraternas por promessa formal, no terreno das realizações do mundo, porquanto essas realizações dependem do vosso esforço próprio e se acham entrosadas no mecanismo das provações indispensáveis ao vosso aperfeiçoamento.

195. Como poderemos encontrar, dentro de nós mesmos, o elemento esclarecedor de qualquer dúvida, quanto à qualidade fraternal e excelente do ato que pretendamos realizar nas lutas cotidianas da vida de relação?

— Aqui, somos compelidos a recordar o antigo preceito do "amar o próximo como a nós mesmos".

Em todos os seus atos, o discípulo de Jesus deverá considerar se estaria satisfeito, recebendo-os de um seu irmão, na mesma qualidade, intensidade e modalidade com que pretende aplicar o conceito, ou exemplo, aos outros.

Com esse processo introspectivo, cessariam todas as campanhas levianas dos atos e das palavras, e a comunidade cristã estaria integrada, em conjunto, no seu legítimo caminho.

196. Como encaram os guias espirituais as nossas queixas?

— Muitas são consideradas verdadeiras preces dignas de toda a carinhosa atenção dos amigos desencarnados.

A maioria, porém, não passa de lamentação estéril, a que o homem se acostumou como a um vício qualquer, porque, se tendes nas mãos o remédio eficaz com o

Evangelho de Jesus e com os consoladores esclarecimentos da Doutrina dos Espíritos, a repetição de certas queixas traduz má vontade na aplicação legítima do conhecimento espírita a vós mesmos.

2.3 CULTURA

2.3.1 Razão

197. Como se observa, no plano espiritual, o patrimônio da cultura terrestre?

— Todas as expressões da cultura humana são apreciadas, na esfera invisível, como um repositório sagrado de esforços do homem planetário em seus labores contínuos e respeitáveis.

Todavia, é preciso encarecer que, neste *outro lado* da vida, a vossa posição cultural é considerada como processo, não como fim, porquanto este reside na perfeita sabedoria, síntese gloriosa da alma que se edificou a si mesma, por meio de todas as oportunidades de trabalho e de estudo da existência material.

Entre a cultura terrestre e a sabedoria do Espírito há singular diferença, que é preciso considerar. A primeira se modifica todos os dias e varia de concepção nos indivíduos que se constituem seus expositores, dentro das mais evidentes características de instabilidade; a segunda, porém, é o conhecimento divino, puro e inalienável, que a alma vai armazenando no seu caminho, em marcha para a vida imortal.

198. Pode o racionalismo garantir a linha de evolução da Terra?

— Por si só, o racionalismo não pode efetuar esse esforço grandioso, mesmo porque, todos os centros da cultura terrestre têm abusado largamente desse conceito. Nos seus excessos, observamos uma venerável civilização condenada a amarguradas ruínas. A razão sem o sentimento é fria e implacável como os números, e estes podem ser fatores de observação e catalogação da atividade, mas nunca criaram a vida. A razão é uma base indispensável, mas só o sentimento cria e edifica. É por esse motivo que as conquistas do Humanismo jamais poderão desaparecer nos processos evolutivos da humanidade.

199. Poderá a razão dispensar a fé?

— A razão humana é ainda muito frágil e não poderá dispensar a cooperação da fé que a ilumina, para a solução dos grandes e sagrados problemas da vida.
Em virtude da separação de ambas, nas estradas da vida, é que observamos o homem terrestre no desfiladeiro terrível da miséria e da destruição.

Pela insânia da razão, sem a luz divina da fé, a força faz as suas derradeiras tentativas para assenhorear-se de todas as conquistas do mundo.

Falastes demasiadamente de razão e permaneceis na guerra da destruição, onde só perambulam miseráveis vencidos; revelastes as mais elevadas demonstrações de inteligência, mas mobilizais todo o conhecimento para o morticínio sem piedade; pregastes a paz, fabricando os canhões homicidas; pretendestes haver solucionado os problemas sociais, intensificando a construção das cadeias e dos prostíbulos.

Esse progresso é o da razão sem a fé, onde os homens se perdem em luta inglória e sem-fim.

200. Onde localizar a origem dos desvios da razão humana?

— A origem desse desequilíbrio reside na defecção do sacerdócio, nas várias igrejas que se fundaram nas concepções do Cristianismo. Ocultando a verdade para que prevalecessem os interesses econômicos de seus transviados expositores, as seitas religiosas operaram o desvirtuamento da fé, fixando a sua atividade, por absoluta ausência de colaboração com o raciocínio, no caminho infinito de conquistas da vida.

201. No quadro dos valores racionais, Ciência e Filosofia se integram mutuamente, objetivando as realizações do Espírito?

— Ambas se completam no campo das atividades do mundo, como dois grandes rios que, servindo a regiões diversas na esfera da produção indispensável à manutenção da vida, se reúnem em determinado ponto do caminho para desaguarem, juntos, no mesmo oceano, que é o da sabedoria.

202. No problema da investigação, há limites para aplicação dos métodos racionalistas?

— Esses limites existem, não só para a aplicação, como também para a observação; limites esses que são condicionados pelas forças espirituais que presidem à evolução planetária, atendendo à conveniência e ao estado de progresso moral das criaturas.

É por esse motivo que os limites das aplicações e das análises chamadas positivas sempre acompanham e seguirão sempre o curso da evolução espiritual das entidades encarnadas na Terra.

203. Como apreciar os racionalistas que se orgulham de suas realizações terrestres, nas quais pretendem encontrar valores finais e definitivos?

— Quase sempre, os que se orgulham de alguma coisa caem no egoísmo isolacionista que os separa do plano universal, mas, os que amam o seu esforço nas realizações alheias ou a continuidade sagrada das obras dos outros, na sua atividade própria, jamais conservam pretensões descabidas e nunca restringem sua esfera de evolução, porquanto as energias profundas da espiritualidade lhes santificam os esforços sinceros, conduzindo-os aos grandes feitos por meio dos elevados caminhos da inspiração.

2.3.2 Intelectualismo

204. A alma humana poder-se-á elevar para Deus tão somente com o progresso moral, sem os valores intelectivos?

— O sentimento e a sabedoria são as duas asas com que a alma se elevará para a perfeição infinita. No círculo acanhado do orbe terrestre, ambos são classificados como adiantamento moral e adiantamento intelectual, mas, como estamos examinando os valores propriamente do mundo, em particular, devemos reconhecer que ambos são imprescindíveis ao progresso, sendo justo, porém, considerar a superioridade do primeiro sobre o segundo, porquanto a parte intelectual sem a moral pode oferecer numerosas perspectivas de queda, na repetição das experiências, enquanto o avanço moral jamais será excessivo, representando o núcleo mais importante das energias evolutivas.

205. Podemos ter uma ideia da extensão de nossa capacidade intelectual?

— A capacidade intelectual do homem terrestre é excessivamente reduzida, em face dos elevados poderes da personalidade espiritual independente dos laços da matéria. Os elos da reencarnação fazem o papel de quebra-luz sobre todas as conquistas anteriores do Espírito reencarnado. Nessa sombra, reside o acervo de lembranças vagas, de vocações inatas, de numerosas experiências, de valores naturais e espontâneos, a que chamais subconsciência.

O homem comum é uma representação parcial do homem transcendente, que será reintegrado nas suas aquisições do passado, depois de haver cumprido a prova ou a missão exigidas pelas suas condições morais, no mecanismo da Justiça divina. Aliás, a incapacidade intelectual do homem físico tem sua origem na sua própria situação, caracterizada pela necessidade de provas amargas. O cérebro humano é um aparelho frágil e deficiente, onde o Espírito em queda tem de valorizar as suas realizações de trabalho. Imaginai a caixa craniana, onde se acomodam células microscópicas, inteiramente preocupadas com a sua sede de oxigênio, sem dispensarem por um milésimo de segundo a corrente do sangue que as irriga, a fragilidade dos filamentos que as reúnem, cujas conexões são de cem milésimos de milímetro, e tereis assim uma ideia exata da pobreza da máquina pensante de que dispõe o sábio da Terra para as suas orgulhosas deduções, verificando que, por sua condição de Espírito caído na luta expiatória, tudo tende a demonstrar ao homem do mundo a sua posição de humildade, de modo que, em todas as condições, possa ele cultivar os valores legítimos do sentimento.

206. Como é considerada, no plano espiritual, a posição atual intelectiva da Terra?

— Os valores intelectuais do planeta, nos tempos modernos, sofrem a humilhação de todas as forças corruptoras da decadência. A atual geração, que tantas vezes se entregou à jactância, atribuindo a si mesma as mais altas conquistas no terreno do raciocínio positivo, operou os mais vastos desequilíbrios nas correntes evolutivas do orbe, com o seu injustificável divórcio do sentimento.

Nunca os círculos educativos da Terra possuíram tanta facilidade de amplificação, como agora, em face da evolução das artes gráficas; jamais o livro e o jornal foram tão largamente difundidos; entretanto, a imprensa, quase de modo geral, é órgão de escândalo para a comunidade e centro de interesse econômico para o ambiente particular, enquanto poucos livros triunfam sem o bafejo da fortuna privada ou oficial, na hipótese de ventilarem os problemas elevados da vida.

207. A decadência intelectual pode prejudicar o desequilíbrio do mundo?

— Sem dúvida. E é por essa razão que observamos na paisagem político-social da Terra as aberrações, os absurdos teóricos, os extremismos, operando a inversão de todos os valores.

Excessivamente preocupados com as suas extravagâncias, os missionários da inteligência trocaram o seu labor junto ao Espírito por um lugar de domínio, como os sacerdotes religiosos que permutaram a luz da fé pelas prebendas tangíveis da situação econômica. Semelhante situação operou naturalmente o mais alto desequilíbrio no organismo social do planeta, e, como prova real desse asserto, devemos recordar que a guerra de 1914–1918 custou aos povos mais intelectualizados do mundo mais de cem mil bilhões de francos, salientando-se que, com menos da centésima parte dessa importância, poderiam essas nações haver expulsado o fantasma da sífilis do cenário da Terra.

208. Há uma tarefa especializada da inteligência no orbe terrestre?

— Assim como numerosos Espíritos recebem a provação da fortuna, do poder transitório e da autoridade, há os que recebem a incumbência sagrada, em lutas expiatórias ou em missões santificantes, de desenvolverem a boa tarefa da inteligência em proveito real da coletividade.

Todavia, assim como o dinheiro e a posição de realce são ambientes de luta, onde todo êxito espiritual se torna mais porfiado e difícil, o destaque intelectual, muitas vezes, obscurece no mundo a visão do Espírito encarnado, conduzindo-o à vaidade injustificável, onde as intenções mais puras ficam aniquiladas.

209. O escritor de determinada obra será julgado pelos efeitos produzidos pelo seu labor intelectual na Terra?

— O livro é igualmente como a semeadura. O escritor correto, sincero e bem-intencionado é o lavrador previdente que alcançará a colheita abundante e a elevada retribuição das Leis divinas à sua atividade. O literato fútil, amigo da insignificância e da vaidade, é bem aquele trabalhador preguiçoso e nulo que "semeia ventos para colher tempestades". E o homem de inteligência que vende a sua pena, a sua opinião e o seu pensamento, no mercado da calúnia, do interesse, da ambição e da maldade, é o agricultor criminoso que humilha as possibilidades generosas da Terra, que rouba os vizinhos, que não planta e não permite o desenvolvimento da semeadura alheia, cultivando espinhos e agravando responsabilidades pelas quais responderá um dia, quando houver despido a indumentária do mundo, para comparecer ante as verdades do Infinito.

210. Os trabalhadores do Espiritismo devem buscar os intelectuais para a compreensão dos seus deveres espirituais?

— Os operários da Doutrina devem estar sempre bem dispostos na oficina do esclarecimento, todas as vezes que procurados pelos que desejem cooperar sinceramente nos seus esforços. Mas provocar a atenção dos outros no intuito de regenerá-los, quando todos nós, mesmo os desencarnados, estamos em função de aperfeiçoamento e aprendizado, não parece muito justo, porque estamos ainda com um dever essencial, que é o da edificação de nós mesmos.

No labor da Doutrina, temos de convir que o Espiritismo é o Cristianismo redivivo pelo qual precisamos fornecer o testemunho da verdade e, dentro do nosso conceito de relatividade, todo o fundamento da verdade da Terra está em Jesus Cristo.

A verdade triunfa por si, sem o concurso das frágeis possibilidades humanas. Alma alguma deverá procurá-la supondo-se elemento indispensável à sua vitória. Como seu órgão no planeta, o Espiritismo não necessita de determinados homens para consolar e instruir as criaturas, depreendendo-se que os próprios intelectuais do mundo é que devem buscar, espontaneamente, na fonte de conhecimentos doutrinários, o benefício de sua iluminação.

2.3.3 Personalidade

211. Como compreender a noção de personalidade?

— A compreensão da personalidade, no mundo, vem sendo muito desviada de seus legítimos valores, pelos espíritos excêntricos, altamente preocupados em se destacarem no vasto mundo das Letras. Entendem muitos que "ter personalidade" é possuir espírito de rebeldia e de contradição na palavra sempre pronta a criticar os outros, no esquecimento de sua própria situação. Outros entendem que o "homem de personalidade" deve sair mundo afora, buscando posições de notoriedade em falsos triunfos, porquanto exigem o olvido pleno dos mais sagrados deveres do coração. Poucos se lembraram dos bens da humildade e da renúncia, para a verdadeira edificação pessoal do homem, porque, para a esfera da espiritualidade pura, a conquista da iluminação íntima vale tudo, considerando que todas as expressões da personalidade prejudicial e inquieta do homem terrestre passarão com o tempo, quando a morte implacável houver descerrado a visão real da criatura.

212. O homem sem grandes possibilidades intelectuais é sempre um homem medíocre?

— O conceito da mediocridade modifica-se no plano de nossas conquistas universalistas, depois das transições da morte.

Aí no mundo, costumais entronizar o escritor que enganou o público, o político que ultrajou o direito, o capitalista que se enriqueceu sem escrúpulos de consciência, colocados na galeria dos homens superiores. Exaltando-lhes os méritos individuais com extravagâncias louvaminheiras, muito falais em *mediocridade*, em *rebanho*, em *rotina*, em *personalidade superior*.

Para nós, a virtude da resignação dos pais de família, criteriosos e abnegados, no extenso rebanho de atividades rotineiras da existência terrestre, não se compara em grandeza com os dotes de espírito do intelectual que gesticula desesperado de uma tribuna, sem qualquer edificação séria, ou que se emaranha em confusões palavrosas na esfera literária, sem a preocupação sincera de aprender com os exemplos da vida.

O trabalhador que passa a vida inteira trabalhando ao Sol no amanho da terra, fabricando o pão saboroso da vida, tem mais valor para Deus que os artistas de inteligência viciada, que outra coisa não fazem senão perturbar a marcha divina das Suas leis.

Vede, portanto, que a expressão de intelectualidade vale muito, mas não pode prescindir dos valores do sentimento em sua essência sublime, compreendendo-se, afinal, que o *homem medíocre* não é o trabalhador das lides terrestres, amoroso de suas realizações do lar e do sagrado cumprimento de seus deveres, sobre cuja abnegação erigiu-se a organização maravilhosa do patrimônio mundano.

213. Devemos acalentar a preocupação de adquirir os elementos do chamado magnetismo pessoal?

— Essa preocupação é muito nobre, mas ninguém suponha realizá-la tão só com a experiência da leitura de livros pertinentes ao assunto.

Não são poucos os que buscam essa literatura, desejosos de fórmulas mágicas no caminho do menor esforço.

Todavia, o que é indispensável salientar é que nenhum estudioso pode conquistar simpatia sem que haja transformado o coração em manancial de bondade espontânea e sincera. Na vida não basta saber. É imprescindível compreender. Os livros ensinam, mas só o esforço próprio aperfeiçoa a alma para a grande e abençoada compreensão. Esquecei a conquista fácil, a operação mecânica, injustificáveis nas edificações espirituais, e volvei a atenção e o pensamento para o vosso próprio mundo interior. Muita coisa aí se tem a fazer e, nesse bom trabalho, a alma se ilumina, naturalmente, aclarando o caminho de seus irmãos.

214. Como interpretar os impulsos daqueles que meditam na influência dos chamados talismãs da felicidade pessoal?

— Criaturas há que, para manter sua energia espiritual sempre ativa, precisam concentrar a atenção em algum objeto tangível, visando aos estados sugestivos indispensáveis às suas realizações, como esses crentes que não prescindem de imagens e símbolos materiais para admitir a eficácia de suas preces.

Ficai certos, porém, de que o talismã para a felicidade pessoal, definitiva, se constitui de um bom coração sempre afeito à harmonia, à humildade e ao amor, o integral cumprimento dos desígnios de Deus.

215. Os chamados "homens de sorte" são guiados pelos Espíritos amigos?

— Aquilo que convencionastes apelidar *sorte* representa uma situação natural no mapa de serviços do Espírito reencarnado, sem que haja necessidade de admitirdes a intervenção do plano invisível na execução das experiências pessoais.

A *sorte* é também uma prova de responsabilidade no mecanismo da vida, exigindo muita compreensão da criatura que a recebe, no que se refere à Misericórdia divina, a fim de não desbaratar o patrimônio de possibilidades sagradas que lhe foi conferido.

216. O *amor-próprio*, o *brio*, o *caráter*, a *honra* são atitudes que a sociedade humana reclama da personalidade; como proceder em tal caso, quando os fatos colidem com os nossos conhecimentos evangélicos?

— O círculo social exige semelhantes atitudes da personalidade e, contudo, essa mesma sociedade ainda não soube entendê-las, senão pela pauta das suas convenções, quando o *amor-próprio*, o *brio*, o *caráter* e a *honra* deveriam ser traços do aperfeiçoamento espiritual e nunca demonstrações de egoísmo, de vaidade e orgulho, quais se manifestam, comumente, na Terra.

Quando o homem se cristianizar, compreendendo essas posições morais no seu verdadeiro prisma, não mais se verificará qualquer colisão entre os acontecimentos da existência comum e os seus conhecimentos do Evangelho, porquanto o seu esforço será sempre o da cooperação sincera a favor do reerguimento e da elevação espiritual dos semelhantes.

217. Qual o modo mais fácil de levar a efeito a vigilância pessoal, para evitar a queda em tentações?

— A maneira mais simples é a de cada um estabelecer um tribunal de autocrítica, em consciência própria, procedendo para com outrem, na mesma conduta de retidão que deseja da ação alheia para consigo próprio.

2.4 ILUMINAÇÃO

2.4.1 Necessidade

218. A propaganda doutrinária para a multiplicação dos prosélitos é a necessidade imediata do Espiritismo?

De modo algum. A direção do Espiritismo, na sua feição de Evangelho redivivo, pertence ao Cristo e seus prepostos, antes de qualquer esforço humano, precário e perecível. A necessidade imediata dos arraiais espíritas é a do conhecimento e aplicação legítima do Evangelho, da parte de todos quantos militam nas suas fileiras, desejosos de luz e de evolução. O trabalho de cada um na iluminação de si mesmo deve ser permanente e metodizado. Os fenômenos acordam o Espírito adormecido na carne, mas não fornecem as luzes interiores, somente conseguidas à custa de grande esforço e trabalho individual. A palavra dos guias e mentores do Além ensina, mas não pode constituir elementos definitivos de redenção, cuja obra exige de cada um sacrifícios e renúncias santificantes, no laborioso aprendizado da vida.

219. Nos trabalhos espíritas, onde poderemos encontrar a fonte principal de ensino que nos oriente para a iluminação? Poderemos obtê-la com as mensagens de nossos entes queridos, ou apenas com o fato de guardarmos o valor da crença no coração?

— Numerosos filósofos hão compendiado as teses e conclusões do Espiritismo no seu aspecto filosófico, científico e religioso; todavia, para a iluminação do íntimo, só tendes no mundo o Evangelho do Senhor, que nenhum roteiro doutrinário poderá ultrapassar.

Aliás, o Espiritismo em seus valores cristãos não possui finalidade maior que a de restaurar a verdade evangélica para os corações desesperados e descrentes do mundo.

Teorias e fenômenos inexplicáveis sempre houve no mundo. Os escritores e os cientistas doutrinários poderão movimentar seus conhecimentos na construção de novos enunciados para as filosofias terrestres, mas a obra definitiva do Espiritismo é a da edificação da consciência profunda no Evangelho de Jesus Cristo.

O plano invisível poderá trazer-vos as mensagens mais comovedoras e convincentes dos vossos bem-amados; podereis guardar os mais elevados princípios de crença no vosso mundo impressivo. Todavia, esse é o esforço, a realização do mecanismo doutrinário em ação, junto de vossa personalidade. Só o trabalho de autoevangelização, porém, é firme e imperecível. Só o esforço individual no Evangelho de Jesus pode iluminar, engrandecer e redimir o Espírito, porquanto, depois de vossa edificação com o exemplo do Mestre, alcançareis aquela verdade que vos fará livres.

220. Há alguma diferença entre a crença e a iluminação?

— Todos os homens da Terra, ainda os próprios materialistas, creem em alguma coisa. Todavia, são muito poucos os que se iluminam. O que crê, apenas admite; mas o que se ilumina vibra e sente. O primeiro depende dos elementos externos, nos quais coloca o objeto da sua crença; o segundo é livre das influências exteriores, porque há bastante luz no seu próprio íntimo, de modo a vencer corajosamente nas provações a que foi conduzido no mundo.

É por essa razão que os espíritas sinceros devem compreender que não basta acreditar no fenômeno ou na veracidade da comunicação com o Além, para que os seus sagrados deveres estejam totalmente cumpridos, pois a obrigação primordial é o esforço, o amor ao trabalho, a serenidade nas provas da vida, o sacrifício de si mesmo, de modo a entender plenamente a exemplificação de Jesus Cristo, buscando a sua luz divina para a execução de todos os trabalhos que lhes competem no mundo.

221. A análise pela razão pode cooperar, de modo definitivo, no trabalho de nossa iluminação espiritual?

— É certo que o homem não pode dispensar a razão para vencer na tarefa confiada ao seu esforço, no círculo da vida; contudo, faz-se mister considerar que essa razão vem sendo trabalhada, de muitos séculos no planeta, pelos vícios de toda sorte.

Temos plena confirmação deste asserto no ultrarracionalismo europeu, cuja avançada posição evolutiva, ainda agora, não tem vacilado entre a paz e a guerra, entre o direito e a força, entre a ordem e a agressão.

Mais que em toda parte do orbe, a razão humana ali se elevou às mais altas culminâncias de realização e, todavia, desequilibrada pela ausência do sentimento, ressuscita a selvageria e o crime, embora o fausto da civilização.

Reconhecemos, pois, que na atualidade do orbe toda iluminação do homem há de nascer, antes de tudo, do sentimento. O sábio desesperado do mundo deve volver-se para Deus como a criança humilde, para cuidar dos legítimos valores do coração, porque apenas pela reeducação sentimental, nos bastidores do esforço próprio, se poderá esperar a desejada reforma das criaturas.

222. Que significa o chamado *toque da alma*, ao qual tantas vezes se referem os Espíritos amigos?

— Quando a sinceridade e a boa vontade se irmanam dentro de um coração, faz-se no santuário íntimo a luz espiritual para a sublime compreensão da verdade.

Esse é o chamado *toque da alma*, impossível para quantos perseverem na lógica convencionalista do mundo, ou nas expressões negativas das situações provisórias da matéria, em todos os sentidos.

223. Há tempo determinado na vida do homem terrestre para que se possa ele entregar, com mais probabilidades de êxito, ao trabalho de iluminação?

— A existência na Terra é um aprendizado excelente e constante. Não há idades para o serviço de iluminação espiritual. Os pais têm o dever de orientar a criança, desde os seus primeiros passos, no capítulo das noções evangélicas, e o idoso não tem o direito de alegar o cansaço orgânico em face desses estudos de sua necessidade própria.

É certo que as aquisições de um idoso, em matéria de conhecimentos novos, não podem ser tão fáceis como as de um jovem em função de sua instrumentalidade sadia, fisicamente falando; os homens mais avançados em anos têm, contudo, a seu favor as experiências da vida, que facilitam a compreensão e nobilitam o esforço da iluminação de si mesmos, considerando que, se a idade avançada é a noite, a alma terá no amanhã do futuro a alvorada brilhante de uma vida nova.

224. As almas desencarnadas continuam igualmente no serviço da iluminação de si próprias?

— Nos planos invisíveis, o Espírito prossegue na mesma tarefa abençoada de aquisição dos próprios valores, e a reencarnação no mundo tem por objetivo principal a consecução desse esforço.

2.4.2 Trabalho

225. Como entender a salvação da alma e como consegui-la?

— Dentro das claridades espirituais que o Consolador vem espalhando nos bastidores religiosos e filosóficos do mundo, temos de traduzir o conceito de salvação por iluminação de si mesma, a caminho das mais elevadas aquisições e realizações no Infinito.

Considerando esse aspecto real do problema de *salvação da alma*, somos compelidos a reconhecer que, se a Providência divina movimentou todos os recursos indispensáveis ao progresso material do homem físico na Terra, o Evangelho de Jesus é a dádiva suprema do Céu para a redenção do homem espiritual, em marcha para o amor e sabedoria universais.

Jesus é o modelo supremo.

O Evangelho é o roteiro para a ascensão de todos os Espíritos em luta, o aprendizado na Terra para os planos superiores do ilimitado. De sua aplicação decorre a luz do Espírito.

No turbilhão das tarefas de cada dia, lembrai a afirmativa do Senhor: "Eu sou o Caminho, a Verdade e a Vida". Se vos cercam as tentações de autoridade e poder, de fortuna e inteligência, recordai ainda as suas palavras: "Ninguém pode ir ao Pai senão por mim". E se vos sentis tocados pelo sopro frio da adversidade e da dor, se estais sobrecarregados de trabalhos no mundo, buscai ouvi-lo sempre no imo da alma: "Quem deseje encontrar o reino de Deus tome a sua cruz e siga os meus passos".

226. Os guias espirituais têm uma parte ativa na tarefa de nossa iluminação pessoal?

— Essa colaboração apenas se verifica como no caso dos irmãos mais velhos, ou dos amigos mais idosos nas experiências do mundo.

Os mentores do Além poderão apontar-vos os resultados dos seus próprios esforços na Terra, ou, então, aclarar os ensinos que o homem já recebeu por meio da misericórdia do Cristo e da benevolência dos seus enviados, mas em hipótese alguma poderão afastar a alma encarnada do trabalho que lhe compete, na curta permanência das lições do mundo.

Que dizer de um professor que decifrasse os problemas comuns para os alunos?

Além disso, os amigos espirituais não se encontram em estado beatífico. Suas atividades e deveres são maiores que os vossos. Seus problemas novos são inúmeros e cada Espírito deve buscar em si mesmo a luz necessária à visão acertada do caminho.

Trabalhai sempre. Essa é a lei para vós outros e para nós que já nos afastamos do âmbito limitado do círculo carnal. Esforcemo-nos constantemente.

A palavra do guia é agradável e amiga, mas o trabalho de iluminação pertence a cada um. Na solução dos nossos problemas, nunca esperemos pelos outros, porque, de pensamento voltado para a fonte de sabedoria e misericórdia, que é Deus, não nos faltará, em tempo algum, a divina inspiração de Sua Bondade infinita.

227. Deus concede o favor a que chamamos *graça*?

— São tão grandes as expressões da Misericórdia divina que nos cercam o Espírito, em qualquer plano da vida, que basta um olhar à natureza física ou invisível, para sentirmos, em torno de nós, uma aluvião de graças.

O favor divino, porém, como o homem pretende receber no seu antropomorfismo, não se observa no caminho da vida, pois Deus não pode assemelhar-se a um monarca humano, cheio de preferências pessoais ou subornado por motivos de ordem inferior.

A alma, aqui ou alhures, receberá sempre de acordo com o trabalho da edificação de si mesma. É o próprio Espírito que inventa o seu Inferno ou cria as belezas do seu Céu. E tal seja o seu procedimento, acelerando o processo de evolução pelo esforço próprio, poderá Deus dispensar na Lei, em seu favor, pois a Lei é uma só e Deus o seu Juiz supremo e eterno.

228. A autoiluminação pode ser conseguida apenas com a tarefa de uma existência na Terra?

— Uma encarnação é como um dia de trabalho. E para que as experiências se façam acompanhar de resultados positivos e proveitosos na vida, faz-se indispensável que os dias de observação e de esforço se sucedam uns aos outros.

No complexo das vidas diversas, o estudo prepara; todavia, somente a aplicação sincera dos ensinamentos do Cristo pode proporcionar a paz e a sabedoria, inerentes ao estado de plena iluminação dos redimidos.

229. Como entender o trabalho de purificação nos ambientes do mundo?

— A purificação na Terra ainda é qual o lírio alvo, nascendo do lodo das amarguras e das paixões.

Todos os Espíritos encarnados, porém, devem considerar que se encontram no planeta como em poderoso cadinho de acrisolamento e regeneração, sendo indispensável cultivar a flor da iluminação íntima, na angústia da vida humana, no círculo da família ou da comunidade social, por meio da maior severidade para consigo mesmo e da maior tolerância com os outros, fazendo cada qual, da sua existência, um apostolado de educação onde o maior beneficiado seja o seu próprio Espírito.

230. Como iniciar o trabalho de iluminação da nossa própria alma?

— Esse esforço individual deve começar com o autodomínio, com a disciplina dos sentimentos egoísticos e inferiores, com o trabalho silencioso da criatura por exterminar as próprias paixões.

Nesse particular, não podemos prescindir do conhecimento adquirido por outras almas que nos precederam nas lutas da Terra, com as suas experiências santificantes — água pura de consolação e de esperança, que poderemos beber nas páginas de suas memórias ou nos testemunhos de sacrifício que deixaram no mundo.

Todavia, o conhecimento é a porta amiga que nos conduzirá aos raciocínios mais puros, porquanto, na reforma definitiva de nosso íntimo, é indispensável o golpe da ação própria, no sentido de modelarmos o nosso santuário interior, na sagrada iluminação da vida.

231. Considerando que numerosos agrupamentos espíritas se formam apenas para doutrinação das entidades perturbadas, do plano invisível, quais os mais necessitados de luz: os encarnados ou os desencarnados?

— Tal necessidade é comum a uns e outros. É justo que se preste auxílio fraterno aos seres perturbados e sofredores, das esferas mais próximas da Terra; entretanto, é preciso convir que os Espíritos encarnados carecem de maior porcentagem de iluminação evangélica que os invisíveis, mesmo porque, sem ela, que auxílio poderão prestar ao irmão ignorante e infeliz? A lição do Senhor não nos fala do absurdo de um cego a conduzir outros cegos?

Por essa razão é que toda reunião de estudos sinceros, dentro da Doutrina, é um elemento precioso para estabelecer o roteiro espiritual a quantos desejem o bom caminho.

A missão da luz é revelar com verdade serena. O coração iluminado não necessita de muitos recursos da palavra, porque na oficina da fraternidade bastará o seu sentimento esclarecido no Evangelho. A grande maravilha do amor é o seu profundo e divino contágio. Por esse motivo, o Espírito encarnado, para regenerar os seus irmãos da sombra, necessita iluminar-se primeiro.

2.4.3 Realização

232. Em matéria de conhecimento, onde poderemos localizar a maior necessidade do homem?

— Como nos tempos mais recuados das civilizações mortas, temos de reafirmar que a maior necessidade da criatura humana ainda é a do conhecimento de si mesma.

233. Por que razão o homem da Terra tem sido tão lento na solução do problema do seu conhecimento próprio?

— Isso é explicável. Somente agora, a alma humana poderá ensimesmar-se o bastante para compreender as necessidades e os escaninhos da sua personalidade espiritual.

Antigamente a existência do homem resumia-se na luta com as forças externas, de modo a criar uma lei de harmonia entre ele próprio e a natureza terrestre. Muitos séculos decorreram, até que lobrigasse a conveniência da solidariedade para enfrentar os perigos comuns. A organização da tribo, da família, das tradições, das experiências coletivas, exigiu muitos séculos de luta e de infortúnios dolorosos. A ciência das relações, o aproveitamento das forças materiais que o rodeavam, não requisitaram menor porção de tempo.

Agora, porém, nas culminâncias da sua evolução física, o homem não necessitará preocupar-se, de modo tão absorvente, com a paisagem que o cerca, razão pela qual todas as energias espirituais se mobilizam, nos tempos modernos, em torno das criaturas, convocando-as ao sagrado conhecimento de si mesmas, dentro dos valores infinitos da vida.

234. Que dizer dos que propugnam leis para o bem-estar social, por processos mecânicos de aplicação, sem atender à iluminação espiritual dos indivíduos?

— Os estadistas ou condutores de multidões, que procuram agir nesse sentido, em pouco tempo caem no desencanto de suas utopias políticas e sociais.

A harmonia do mundo não virá por decretos, nem de parlamentos que caracterizam sua ação por uma força excessivamente passageira. Não vedes que o mecanismo das leis humanas se modifica todos os dias? Os sistemas de governo não desaparecem para dar lugar a outros que, por sua vez, terão de renovar-se com o transcorrer do tempo?

Na atualidade do planeta, tendes observado a desilusão de muitos utopistas dessa natureza, que sonharam com a igualdade irrestrita das criaturas, sem compreender que, recebendo os mesmos direitos de trabalho e de aquisição perante Deus, os homens, por suas próprias ações, são profundamente desiguais entre si, em inteligência, virtude, compreensão e moralidade.

O homem que se ilumina conquista a ordem e a harmonia para si mesmo. E para que a coletividade realize semelhante aquisição, para o organismo social, faz-se imprescindível que todos os seus elementos compreendam os sagrados deveres de autoiluminação.

235. Há outras fontes de conhecimento para a iluminação dos homens, além da constituída pelos ensinamentos divinos do Evangelho?

— O mundo está repleto de elementos educativos, mormente no referente às teorias nobilitantes da vida e do homem, pelo trabalho e pela edificação das faculdades e do caráter.

Mas, em se tratando de iluminação espiritual, não existe fonte alguma além da exemplificação de Jesus, no seu Evangelho de verdade e vida.

Os próprios filósofos que falaram na Terra, antes dele, não eram senão emissários da sua bondade e sabedoria, vindos à carne de modo a preparar-lhe a luminosa passagem pelo mundo das sombras, razão por que o modelo de Jesus é definitivo e único para a realização da luz e da verdade em cada homem.

236. Como interpretar a ansiedade do proselitismo espírita, em matéria de fenomenologia, ante essa necessidade de iluminação?

— Os espíritas sinceros devem compreender que os fenômenos acordam a alma, como o choque de energias externas que faz despertar uma pessoa adormecida; mas somente o esforço opera a edificação moral, legítima e definitiva.

É uma extravagância de consequências desagradáveis, atirar-se alguém à propaganda de uma ideia sem haver fortalecido a si mesmo na seiva de seus princípios enobrecedores. O Espiritismo não constitui uma escola de leviandade. Identificado com a sua essência consoladora e divina, o homem não pode acovardar-se ante a intensidade das provações e das experiências. Grande erro praticariam as entidades espirituais elevadas, se prometessem aos seus amigos do mundo uma vida fácil e sem cuidados, solucionando-lhes todos os problemas e entregando-lhes a chave de todos os estudos.

É egoísmo e insensatez provocar o plano invisível com os pequeninos caprichos pessoais.

Cada estudioso desenvolva a sua capacidade de trabalho e de iluminação e não guarde para outrem o que lhe compete fazer em seu próprio benefício.

O Espiritismo, sem Evangelho, pode alcançar as melhores expressões de nobreza, mas não passará de atividade destinada a modificar-se ou desaparecer, como todos os elementos transitórios do mundo. E o espírita que não cogitou da sua iluminação com Jesus Cristo pode ser um cientista e um filósofo, com as mais elevadas aquisições intelectuais, mas estará sem leme e sem roteiro no instante da tempestade inevitável da provação e da experiência, porque só o sentimento divino da fé pode arrebatar o homem das preocupações inferiores da Terra para os caminhos supremos dos paramos espirituais.

237. Existe diferença entre doutrinar e evangelizar?

— Há grande diversidade entre ambas as tarefas. Para doutrinar, basta o conhecimento intelectual dos postulados do Espiritismo; para evangelizar é necessário a luz do amor no íntimo. Na primeira, bastarão a leitura e o conhecimento; na segunda, é preciso vibrar e sentir com o Cristo. Por estes motivos, o doutrinador muitas vezes não é senão o canal dos ensinamentos, mas o sincero evangelizador será sempre o reservatório da verdade, habilitado a servir às necessidades de outrem, sem privar-se da fortuna espiritual de si mesmo.

238. Para acelerar o esforço de iluminação, a humanidade necessitará de determinadas inovações religiosas?

— Toda inovação é indispensável, mesmo porque a lição do Senhor ainda não foi compreendida. A cristianização das almas humanas ainda não foi além da primeira etapa. Alguns séculos antes de Jesus, o plano espiritual, pela boca dos profetas e dos filósofos, exortava o homem do mundo ao conhecimento de si mesmo. O Evangelho é a luz interior dessa edificação. Ora, somente agora a criatura terrestre prepara-se para o conhecimento próprio por meio da dor; portanto, a evangelização da alma coletiva, para a nova era de concórdia e de fraternidade, somente poderá efetuar-se, de modo geral, no terceiro milênio.

É certo que o planeta já possui as suas expressões boladas de legítimo evangelismo, raras na verdade, mas consoladoras e luminosas. Essas expressões, porém, são obrigadas às mais altas realizações de renúncia em face da ignorância e da iniquidade do mundo. Esses apóstolos desconhecidos são aquele "sal da Terra" e o seu esforço divino será respeitado pelas gerações vindouras, como os símbolos vivos da iluminação espiritual com Jesus Cristo, bem-aventurados de seu Reino, no qual souberam perseverar até o fim.

2.5 EVOLUÇÃO

2.5.1 Dor

239. Entre a dor física e a dor moral, qual das duas faz vibrar mais profundamente o espírito humano?

— Podemos classificar o sofrimento do Espírito como a dor-realidade e o tormento físico, de qualquer natureza, como a dor-ilusão. Em verdade, toda dor física colima o despertar da alma para os seus grandiosos deveres, seja como expressão expiatória, como consequência dos abusos humanos, ou como advertência da natureza material ao dono de um organismo. Mas toda dor física é um fenômeno, enquanto que a dor moral é essência.

Daí a razão por que a primeira vem e passa, ainda se faça acompanhar das transições de morte dos órgãos materiais, e só a dor espiritual é bastante grande e profunda para promover o luminoso trabalho do aperfeiçoamento e da redenção.

240. De algum modo, pode-se conceber a felicidade na Terra?

— Se todo Espírito tem consigo a noção da felicidade é sinal que ela existe e espera as almas em alguma parte.

Tal como sonhada pelo homem do mundo, porém, a felicidade não pode existir, por enquanto, na face do orbe, porque, em sua generalidade, as criaturas humanas se encontram intoxicadas e não sabem contemplar a grandeza das paisagens exteriores que as cercam no planeta. Contudo, importa observar que é no globo terrestre que a criatura edifica as bases da sua ventura real, pelo trabalho e pelo sacrifício, a caminho das mais sublimes aquisições para o mundo divino de sua consciência.

241. Onde o maior auxílio para nossa redenção espiritual?

— No trabalho de nossa redenção individual ou coletiva, a dor é sempre o elemento amigo e indispensável. E a redenção de um Espírito encarnado, na Terra, consiste no resgate de todas as suas dívidas, com a consequente aquisição de valores morais passíveis de serem conquistados nas lutas planetárias, situação essa que eleva a personalidade espiritual a novos e mais sublimes horizontes na vida do Infinito.

242. Por que o Evangelho não nos fala das alegrias da vida humana?

— O Evangelho não podia trazer os cenários do riso mascarado do mundo, mas a verdade é que todas as lições do Mestre divino foram efetuadas nas paisagens da mais perfeita alegria espiritual.

Sua primeira revelação foi nas bodas de Caná, entre os júbilos sagrados da família. Seus ensinamentos, à margem das águas do Tiberíades, desdobraram-se entre criaturas simples e alegres, fortalecidas na fé e no trabalho sadio.

Em Jerusalém, contudo, junto das hipocrisias do templo, ou em face dos seus algozes empedernidos, o Mestre divino não poderia sorrir, alentando a mentira ou desenvolvendo os métodos da ingratidão e da violência.

Eis por que, em seu ambiente natural, toda a história evangélica é sempre um poema de luz, de amor, de encantamento e de alegria.

243. Todos os Espíritos que passaram pela Terra tiveram as mesmas características evolutivas, no que se refere ao problema da dor?

— Todas as entidades espirituais encarnadas no orbe terrestre são Espíritos que se resgatam ou aprendem nas experiências humanas, após as quedas do passado, com exceção de Jesus Cristo, fundamento de toda a verdade neste mundo, cuja evolução se verificou em linha reta para Deus, e em cujas mãos angélicas repousa o governo espiritual do planeta, desde os seus primórdios.

244. Existem lugares de penitência no plano espiritual? E acaso poderá haver sofrimento eterno para os Espíritos inveterados no erro e na rebeldia?

— Considerando a penitência em sua feição expiatória, existem numerosos lugares de provações na esfera para vós invisível, destinados à regeneração e preparo de entidades perversas ou renitentes no crime, a fim de conhecerem as primeiras manifestações do remorso e do arrependimento, etapas iniciais da obra de redenção.

Quanto à ideia do sofrimento eterno, se houvesse Espíritos eternamente inveterados no crime, haveria para eles um sofrimento continuado, como o seu próprio erro. O Pastor, porém, não quer se perca uma só de suas ovelhas. Dia virá em que a consciência mais denegrida experimentará, no íntimo, a luz radiosa da alvorada de seu amor.

245. Se é justo esperarmos no decurso do nosso roteiro de provações na Terra, por determinadas dores, devemos sempre cultivar a prece?

— A lei das provas é uma das maiores instituições universais para a distribuição dos benefícios divinos.

Precisais compreender isso, aceitando todas as dores com nobreza de sentimento.

A prece não poderá afastar os dissabores e as lições proveitosas da amargura, constantes do mapa de serviços que cada Espírito deve prestar na sua tarefa terrena, mas deve ser cultivada no íntimo, como a luz que acende para o caminho tenebroso, ou mantida no coração como o alimento indispensável que se prepara, de modo a satisfazer à necessidade própria, na jornada longa e difícil, porquanto a oração sincera estabelece a vigilância e constitui o maior fator de resistência moral, no centro das provações mais escabrosas e mais rudes.

2.5.2 Provação

246. Qual a diferença entre provação e expiação?

— A provação é a luta que ensina ao discípulo rebelde e preguiçoso a estrada do trabalho e da edificação espiritual. A expiação é a pena imposta ao malfeitor que comete um crime.

247. A lei da prova e da expiação é inflexível?

— Os tribunais da justiça humana, apesar de imperfeitos, por vezes não comutam as penas e não beneficiam os delinquentes com o *sursis*?

A inflexibilidade e a dureza não existem para a Misericórdia divina, que, conforme a conduta do Espírito encarnado, pode dispensar na lei, em benefício do homem, quando a sua existência já demonstre certas expressões do amor que cobre a multidão dos pecados.

248. Como se verifica a queda do Espírito?

— Conquistada a consciência e os valores racionais, todos os Espíritos são investidos de uma responsabilidade, dentro das suas possibilidades de ação; porém, são raros os que praticam seus legítimos deveres morais, aumentando os seus direitos divinos no patrimônio universal.

Colocada por Deus no caminho da vida, como discípulo que termina os estudos básicos, a alma nem sempre sabe agir em correlação com os bens recebidos do Criador, caindo pelo orgulho e pela vaidade, pela ambição ou pelo egoísmo, quebrando a harmonia divina pela primeira vez e penetrando em experiências penosas, a fim de restabelecer o equilíbrio de sua existência.

249. A queda do Espírito somente se verifica na Terra?

— A Terra é um plano de vida e de evolução como outro qualquer, e, nas esferas mais variadas, a alma pode cair, em sua rota evolutiva, porquanto precisamos compreender que a sede de todos os sentimentos bons ou maus, superiores ou indignos, reside no âmago do Espírito imperecível e não na carne que se apodrecerá com o tempo.

250. Como se processa a provação coletiva?

— Na provação coletiva verifica-se a convocação dos Espíritos encarnados, participantes do mesmo débito, com referência ao passado delituoso e obscuro.

O mecanismo da justiça, na lei das compensações, funciona então espontaneamente, por meio dos prepostos do Cristo, que convocam os comparsas na dívida do pretérito para os resgates em comum, razão por que, muitas vezes, intitulais "doloroso acaso" às circunstâncias que reúnem as criaturas mais díspares no mesmo acidente, que lhes ocasiona a morte do corpo físico ou as mais variadas mutilações, no quadro dos seus compromissos individuais.

251. A incredulidade é uma provação?

— O ateísmo ou a incredulidade absoluta não existe, a não ser no jogo de palavras dos cérebros desesperados, nas teorias do mundo, porque, no íntimo, todos os Espíritos se identificam com a ideia de Deus e da sobrevivência do ser, que lhes é inata. Essa ideia superior pairará acima de todos os negativismos e sairá vitoriosa de todos os decretos de força que se organizem nos Estados terrenos, porque constitui a luz da vida e a mais preciosa esperança das almas.

252. Somente se recebe a ofensa a que se fez jus no cumprimento das provas? E considerando a intensidade dessa ou daquela provação, poderá alguém reencarnar fadado ao suicídio e ao crime?

— Receberemos a dor de acordo com as necessidades próprias, com vistas ao resgate do passado e à situação espiritual do futuro.

No capítulo da ofensa, quando a recebemos de alguém que se encontra dentro do nosso nível de compreensão e do plano evolutivo, é certo que se trata de provação bem amarga, indispensável ao nosso processo de regeneração própria.

Existem, porém, no mundo, as pedradas da ignorância e da má-fé, partidas dos sentimentos inferiores, e convém que o cristão esteja preparado e sereno, de modo a não recebê-las com sensibilidade doentia, mas com o propósito de trabalho e esforço próprio, conhecendo que as mesmas fazem parte do seu plano de vida temporária, onde veio para se educar, colaborando ao mesmo tempo na educação de seus semelhantes.

Relativamente ao suicídio é oportuno repetir que a obra de Deus é a do amor e do bem, de todos os planos da vida, e devemos reconhecer que, se muitos Espíritos reencarnam com a prova das tentações ao suicídio e ao crime, é porque esses devem agir como alunos que, havendo perdido uma prova em seu curso, voltam ao estudo da mesma no ano seguinte, até obterem conhecimento e superioridade na matéria. Muitas almas efetuam a repetição de um mesmo esforço e, por vezes, sucumbem na luta, sem perceberem a necessidade de vigilância, sem que possamos, de modo algum, imputar a Deus o fracasso de suas esperanças, porque a Providência divina concede a todos os seres as mesmas oportunidades de trabalho e de habilitação.

2.5.3 Virtude

253. A virtude é concessão de Deus, ou é aquisição da criatura?

— A dor, a luta e a experiência constituem uma oportunidade sagrada concedida por Deus às suas criaturas, em todos os tempos; todavia, a virtude é sempre sublime e imorredoura aquisição do Espírito nas estradas da vida, incorporada eternamente aos seus valores, conquistados pelo trabalho no esforço próprio.

254. Que é a paciência e como adquiri-la?

— A verdadeira paciência é sempre uma exteriorização da alma que realizou muito amor em si mesma, para dá-lo a outrem, na exemplificação.

Esse amor é a expressão fraternal que considera todas as criaturas como irmãs, em quaisquer circunstâncias, sem desdenhar a energia para esclarecer a incompreensão, quando isso se torne indispensável.

É com a iluminação espiritual do nosso íntimo que adquirimos esses valores sagrados da tolerância esclarecida.

E, para que nos edifiquemos nessa claridade divina, faz-se mister educar a vontade, curando enfermidades psíquicas seculares que nos acompanham através das vidas sucessivas, quais sejam as de abandonarmos o esforço próprio, de adotarmos a indiferença e de nos queixarmos das forças exteriores, quando o mal reside em nós mesmos.

Para levarmos a efeito uma edificação tão sublime, necessitamos começar pela disciplina de nós mesmos e pela continência dos nossos impulsos, considerando a liberdade do mundo interior, de onde o homem deve dominar as correntes da sua vida.

O adágio popular considera que "o hábito faz a segunda natureza" e nós devemos aprender que a disciplina antecede a espontaneidade, dentro da qual pode a alma atingir, mais facilmente, o desiderato da sua redenção.

255. Devemos nós, os espíritas, praticar somente a caridade espiritual, ou também a material?

— A divisa fundamental da Codificação Kardequiana, formulada no "fora da caridade não há salvação", é bastante expressiva para que nos percamos em minuciosas considerações.

Todo serviço da caridade desinteressada é um reforço divino na obra da fraternidade humana e da redenção universal.

Urge, contudo, que os espíritas sinceros, esclarecidos no Evangelho, procurem compreender a feição educativa dos postulados doutrinários, reconhecendo que o trabalho imediato dos tempos modernos é o da iluminação interior do homem, melhorando-se-lhe os valores do coração e da consciência.

Dentro desses imperativos, é lícito encarecermos a excelência dos planos educativos da evangelização, de modo a formar uma mentalidade espírita-cristã, com vistas ao porvir.

Não podemos desprezar a caridade material que faz do Espiritismo evangélico um pouso de consolação para todos os infortunados; mas não podemos esquecer que as expressões religiosas sectárias também organizaram as edificações materiais para a caridade no mundo, sem olvidar os templos, asilos, orfanatos e monumentos. Todavia, quase todas as suas obras se desvirtuaram, em vista do esquecimento da iluminação dos Espíritos encarnados.

A Igreja Romana é um exemplo típico.

Senhora de uma fortuna considerável e havendo construído numerosas obras tangíveis, de assistência social, sente hoje que as suas edificações são apenas de pedra, porquanto, em seus estabelecimentos suntuosos, o homem contemporâneo experimenta os mais dolorosos desenganos.

As obras da caridade material somente alcançam a sua feição divina quando colimam a espiritualização do homem, renovando-lhe os valores íntimos, porque, reformada a criatura humana em Jesus Cristo, teremos na Terra uma sociedade transformada, onde o lar genuinamente cristão será naturalmente o asilo de todos os que sofrem.

Depreende-se, pois, que o serviço de cristianização sincera das consciências constitui a edificação definitiva, para a qual os espíritas devem voltar os olhos, antes de tudo, entendendo a vastidão e a complexidade da obra educativa que lhes compete efetuar, junto de qualquer realização humana, nas lutas de cada dia, na tarefa do amor e da verdade.

256. Como interpretar a esmola material?

No mecanismo de relações comuns, o pedido de uma providência material tem o seu sentido e a sua utilidade oportuna, como resultante da lei de equilíbrio que preside o movimento das trocas no organismo da vida.

A esmola material, porém, é índice da ausência de espiritualização nas características sociais que a fomentam.

Ninguém, decerto, poderá reprovar o ato de pedir e, muito menos, deixará de louvar a iniciativa de quem dá esmola material; todavia, é oportuno considerar que, à medida que o homem se cristianiza, iluminando as suas energias interiores, mais se afasta da condição de pedinte para alcançar a condição elevada do mérito, pelas expressões sadias do seu trabalho.

Quem se esforça, nos bastidores da consciência retilínea, dignifica-se e enriquece o quadro de seus valores individuais.

E o cristão sincero, depois de conquistar os elementos da educação evangélica, não necessita materializar a ideia da rogativa da esmola material, compreendendo que, esperando ou sofrendo, agindo ou lutando, nos esforços da ação e do bem, há de receber, sempre, de acordo com as suas obras e de conformidade com a promessa do Cristo.

257. A esperança e a fé devem ser interpretadas como uma só virtude?

— A esperança é a filha dileta da fé. Ambas estão, uma para outra, como a luz reflexa dos planetas está para a luz central e positiva do Sol.

A esperança é como o luar que se constitui dos bálsamos da crença. Fé é a divina claridade da certeza.

258. No caminho da virtude, o pobre e o rico da Terra podem ser identificados como discípulos de Jesus?

— O título de discípulo é conferido pelo divino Mestre a todos os homens de boa vontade, sem distinção de situações, de classes ou de qualquer expressão sectária.

Com responsabilidade dos bens materiais ou sem ela, o homem é sempre rico pela sua posição de usufrutuário das graças divinas e, além do mais, temos de ponderar que, em toda situação, a criatura encontrará responsabilidade na existência, razão por que os sinceros discípulos do Senhor são iguais aos seus olhos, sem preferência de qualquer natureza.

259. No que se refere à prática da caridade, como interpretar o ensinamento de Jesus: Àquele que tem será concedido em abundância e àquele que não tem, até mesmo o que tiver, lhe será tirado?

— A palavra de Jesus, em todas as circunstâncias, foi tocada de uma luz oculta, apresentando reflexos prismáticos, em todos os tempos, para a alma humana, na sua ascensão para a sabedoria e para o amor.

Antes de tudo, busquemos ajustar o conceito a nós próprios.

Se possuímos a verdadeira caridade espiritual, se trabalhamos pela nossa iluminação íntima, irradiando luz, espontaneamente, para o caminho dos nossos irmãos em luta e aprendizado, mais receberemos das fontes puras dos planos espirituais mais elevados, porque, depois de valorizarmos a oportunidade recebida, horizontes infinitos se abrirão no campo ilimitado do universo, para as nossas almas, o que não poderá acontecer aos que lançaram mão do sagrado ensejo de iluminação própria nas estradas da vida, com a mais evidente despreocupação de seus legítimos deveres, esquecendo o caminho melhor, trocado, então, pelas sensações efêmeras da existência terrestre, contraindo novas dívidas e afastando de si mesmo as oportunidades para o futuro, então mais difíceis e dolorosas.

3 RELIGIÃO

260. Em face da Ciência e da Filosofia como interpretar a Religião nas atividades da vida?

— Religião é o sentimento divino, cujas exteriorizações são sempre o Amor, nas expressões mais sublimes. Enquanto a Ciência e a Filosofia operam o trabalho da experimentação e do raciocínio, a Religião edifica e ilumina os sentimentos.

As primeiras se irmanam na sabedoria, a segunda personifica o amor, as duas asas divinas com que a alma humana penetrará, um dia, nos pórticos sagrados da espiritualidade.

3.1 VELHO TESTAMENTO

3.1.1 Revelação

261. "No princípio era o Verbo...". Como deveremos entender esta afirmativa do texto sagrado?

— O apóstolo João ainda nos adverte que "o Verbo era Deus e estava com Deus".

Deus é amor e vida e a mais perfeita expressão do Verbo para o orbe terrestre era e é Jesus, identificado com a Sua Misericórdia e Sabedoria, desde a organização primordial do planeta.

Visível ou oculto, o Verbo é o traço da Luz divina em todas as coisas e em todos os seres, nas mais variadas condições do processo de aperfeiçoamento.

262. Por que razão a palavra das profecias parece dirigida invariavelmente ao povo de Israel?

— Em todos os textos das profecias, Israel deve ser considerada como o símbolo de toda a humanidade terrestre, sob a égide sacrossanta do Cristo.

263. Deve-se atribuir ao Judaísmo missão especial, em comparação com as demais ideais religiosas do tempo antigo?

— Embora as elevadas concepções religiosas que floresceram na Índia e no Egito e todos os grandes ideais de conhecimento da divindade, que povoaram a antiga Ásia em todos os tempos, deve-se reconhecer no Judaísmo a grande missão da revelação do Deus único.

Enquanto os cultos religiosos se perdiam na divisão e na multiplicidade, somente o Judaísmo foi bastante forte na energia e na unidade para cultivar o monoteísmo e estabelecer as bases da lei universalista, sob a luz da inspiração divina.

Por esse motivo, não obstante os compromissos e os débitos penosos que parecem perpetuar os seus sofrimentos, através das gerações e das pátrias humanas no doloroso curso dos séculos, o povo de Israel deve merecer o respeito e o amor de todas as comunidades da Terra, porque somente ele foi bastante grande e unido para guardar a ideia verdadeira de Deus, através dos martírios da escravidão e do deserto.

264. Como deve ser considerada, no Espiritismo, a chamada "Santíssima Trindade", da teologia católica?

— Os textos primitivos da organização cristã não falam da concepção da Igreja Romana, quanto à chamada "Santíssima Trindade".

Devemos esclarecer, ainda, que o ponto de vista católico provém de sutilezas teológicas sem base séria nos ensinamentos de Jesus.

Por largos anos, antes da Boa-Nova, o Bramanismo guardava a concepção de Deus, dividido em três princípios essenciais, que os seus sacerdotes denominavam Brahma, Vishnu e Shiva.[1]

Contudo, a Teologia, que se organizava sobre os antigos princípios do politeísmo romano, necessitava apresentar um complexo de enunciados religiosos, de modo a confundir os espíritos mais simples, mesmo porque sabemos que se a Igreja foi, a princípio, depositária das tradições cristãs, não tardou muito que o sacerdócio eliminasse as mais belas expressões do profetismo, inumando o Evangelho sob um acervo de convenções religiosas, e roubando às revelações primitivas a sua feição de simplicidade e de amor.

Para esse desiderato, as forças que vinham disputar o domínio do Estado, em face da invasão dos povos considerados bárbaros, se apressaram, no poder, em transformar os ensinos de Jesus em instrumento da política administrativa, adulterando os princípios evangélicos nos seus textos primitivos e assimilando velhas doutrinas como as da Índia legendária, e organizando novidades teológicas, com as quais o Catolicismo se reduziu a uma força respeitável, mas puramente humana, distante do reino de Jesus, que,

---

[1] N.E.: O padre Alta, em *O cristianismo do Cristo e o de seus vigários*, nos diz que a fórmula do catecismo — três pessoas em Deus — era verdadeira em latim, onde o vocábulo *persona* significa forma, aspecto, aparência. É falsa, porém, em francês ou em português, com acepção de indivíduo.

na afirmação do Mestre, simples e profunda, não tem ainda fundamentos divinos na face da Terra.

265. Como interpretar a antiga sentença: "Deus fez o mundo do nada"?

— O primeiro instante da matéria está, para os Espíritos da minha esfera, tão obscuro quanto o primeiro momento da energia espiritual nos círculos da vida universal. Compreendemos, contudo, que, sendo Deus o Verbo da Criação, o *nada* nunca existiu para o nosso conceito de observação, porquanto o Verbo, para nós outros, é a luz de toda a Eternidade.

266. Os dias da Criação, nas antigas referências do Velho Testamento, correspondem a períodos inteiros da evolução geológica?

— Os dias da atividade do Criador, tal como nos refere o texto sagrado, correspondem aos largos períodos de evolução geológica, dentro dos milênios indispensáveis ao trabalho da gênese planetária, salientando-se que, com esses, a *Bíblia* encerra outros grandes símbolos inerentes aos tempos imemoriais, das origens do planeta.

267. Qual a posição do Velho Testamento no quadro de valores da educação religiosa do homem?

— No quadro de valores da educação religiosa, na civilização cristã, o Velho Testamento, apesar de suas expressões altamente simbólicas, poucas vezes acessíveis ao raciocínio comum, deve ser considerado como a pedra angular, ou como a fonte-máter da Revelação divina.

3.1.2 Lei

268. Os Dez Mandamentos recebidos por Moisés no Sinai, base de toda justiça até hoje, no mundo, foram alterados pelas seitas religiosas?

— As seitas religiosas, de todos os tempos, pela influenciação de seus sacerdotes, procuram modificar os textos sagrados; todavia, apesar das alterações transitórias, os Dez Mandamentos, transmitidos à Terra por intermédio de Moisés, voltam sempre a ressurgir na sua pureza primitiva, como base de todo o direito no mundo, sustentáculo de todos os códigos da justiça terrestre.

269. Como entender a palavra do Velho Testamento quando nos diz que Deus falou a Moisés no Sinai?

— Estais atualmente em condições de compreender que Moisés trazia consigo as mais elevadas faculdades mediúnicas, apesar de suas características de legislador humano.

É inconcebível que o grande missionário dos judeus e da humanidade pudesse ouvir o Espírito de Deus. Estais, porém, habilitados a compreender, agora, que a Lei ou a base da Lei, nos Dez Mandamentos, foi-lhe ditada pelos emissários de Jesus, porquanto todos os movimentos de evolução material e espiritual do orbe se processaram, como até hoje se processam, sob o seu augusto e misericordioso patrocínio.

270. Apesar de suas expressões tão humanas, Moisés veio ao mundo como missionário divino?

— Examinando-se os seus atos enérgicos de homem, há a considerar as características da época em que se verificou a grande tarefa do missionário hebreu, legítimo emissário do plano superior, para entregar ao mundo terrestre a grande e sublime mensagem da primeira revelação.

Com expressões diversas, o grande enviado não poderia dar conta exata de suas preciosas obrigações, em face da humanidade ignorante e materialista.

271. Moisés transmitiu ao mundo a lei definitiva?

— O profeta de Israel deu à Terra as bases da Lei divina e imutável, mas não toda a Lei, integral e definitiva.

Aliás, somos obrigados a reconhecer que os homens receberão sempre as revelações divinas de conformidade com a sua posição evolutiva.

Até agora, a humanidade da era cristã recebeu a grande Revelação em três aspectos essenciais: Moisés trouxe a missão da Justiça; o Evangelho, a revelação insuperável do Amor, e o Espiritismo, em sua feição de Cristianismo redivivo, traz, por sua vez, a sublime tarefa da Verdade. No centro das três revelações encontra-se Jesus Cristo, como o fundamento de toda a luz e de toda a sabedoria. É que, com o Amor, a Lei manifestou-se na Terra no seu esplendor máximo; a Justiça e a Verdade nada mais são que os instrumentos divinos de sua exteriorização, com aquele Cordeiro de Deus, alma da redenção de toda a humanidade. A Justiça, portanto, lhe aplainou os caminhos, e a Verdade, conseguintemente, esclarece os seus divinos ensinamentos. Eis por que, com o Espiritismo simbolizando a Terceira Revelação da Lei, o homem terreno se prepara, aguardando as sublimadas realizações do seu futuro espiritual, nos milênios porvindouros.

272. Qual a significação da lei de talião "olho por olho, dente por dente", em face da necessidade da redenção de todos os Espíritos pelas reencarnações sucessivas?

— A lei de talião prevalece para todos os Espíritos que não edificaram ainda o santuário do amor nos corações, e que representam a quase totalidade dos seres humanos.

Presos, ainda, aos milênios do pretérito, não cogitaram de aceitar e aplicar o Evangelho a si próprios, permanecendo encarcerados em círculos viciosos de dolorosas reencarnações expiatórias e purificadoras.

Moisés proclamou a Lei antiga, muitos séculos antes do Senhor. Como já foi dito, o profeta hebraico apresentava a Revelação com a face divina da Justiça; mas, com Jesus, o homem do mundo recebeu o código perfeito do Amor. Se Moisés ensinava o "olho por olho, dente por dente", Jesus Cristo esclarecia que o "amor cobre a multidão dos pecados".

Daí a verdade de que as criaturas humanas se redimirão pelo amor e se elevarão a Deus por ele, anulando com o bem todas as forças que lhes possam encarcerar o coração nos sofrimentos do mundo.

273. Qual é verdadeiramente o segundo mandamento?.
"Não farás imagens esculpidas das coisas que estão nos céus", etc., segundo alguns textos, ou "Não tomar o seu santo nome em vão", conforme o ensinamento da Igreja Católica de Roma?

— A segunda fórmula foi uma tentativa de subversão dos textos primitivos, levada a efeito pela Igreja romana, a fim de que o seu sacerdócio encontrasse campo livre para desenvolvimento das heranças do paganismo, no que se refere às pomposas demonstrações do culto externo.

274. Qual a intenção de Moisés no Deuteronômio, recomendando "que ninguém interrogasse os mortos para saber a verdade"?

— Antes de tudo, faz-se preciso considerar que a afirmativa tem sido objeto injusto de largas discussões por parte dos adversários da nova revelação que o Espiritismo trouxe aos homens, na sua feição de Consolador.

As expressões sectárias, todavia, devem considerar que a época de Moisés não comportava as indagações do Invisível, porquanto o comércio com os desencarnados se faria com um material humano excessivamente grosseiro e inferior.

3.1.3 Profetas

275. Os cinco livros maiores da Bíblia encerram símbolos especiais para a educação religiosa do homem?

— Todos os documentos religiosos da *Bíblia* se identificam entre si, no todo, desde a primeira revelação com Moisés, de modo a despertar no homem as verdadeiras noções do seu dever para com os semelhantes e para com Deus.

276. A previsão e a predição, nos livros sagrados, dão a entender que os profetas eram diretamente inspirados pelo Cristo?

— Nos textos sagrados das fontes divinas do Cristianismo, as previsões e predições se efetuaram sob a ação direta do Senhor, pois só Ele poderia conhecer bastante os corações, as fraquezas e as necessidades dos seus rebeldes tutelados, para sondar com precisão as estradas do futuro, sob a Misericórdia e a Sabedoria de Deus.

277. Os Espíritos elevados, como os profetas antigos, devem ser considerados como anjos ou como Espíritos eleitos?

— Como missionários do Senhor, junto à esfera de atividade propriamente material, os profetas antigos eram também dos "chamados" à luminosa sementeira.

Para a nossa compreensão, a palavra *anjo*, neste passo, deve designar somente as entidades que já se elevaram ao plano superior, plenamente redimidas, onde são "escolhidas" na tarefa sagrada daquele cujas palavras não passarão. O eleito, porém, é aquele que se elevou para Deus em linha reta, sem as quedas que nos são comuns, sendo justo afirmar que o orbe terrestre só viu um eleito, que é Jesus Cristo.

A compreensão do homem, todavia, em se tratando de angelitude, generalizou a definição, estendendo-a a todas as almas virtuosas e boas, nos bastidores da sua literatura, o que se justifica, entendendo-se que a palavra *anjo* significa *mensageiro*.

278. Devemos considerar como profetas somente aqueles a que se referem as páginas do Velho Testamento?

— Além dos ensinamentos legados por um Elias ou um Jeremias, temos de convir que numerosos missionários do plano superior precederam a vinda do Cristo, distribuindo no mundo o pão espiritual de suas verdades eternas.

Um Shakyamuni, um Confúcio, um Sócrates foram igualmente profetas do Senhor, na gloriosa preparação dos seus caminhos. Desenvolveram-se distante do ambiente e dos costumes israelitas, pautaram a missão no mesmo plano universalista, em que as tribos de Israel foram chamadas a trabalhar, mais particularmente, pelo progresso religioso do mundo.

279. Os profetas hebraicos representavam o papel de sacerdotes dos crentes da Lei?

— Em todos os tempos houve a mais funda diferença entre o sacerdócio e o profetismo.

Os antigos profetas de Israel nunca se caracterizaram por qualquer expressão de servilismo às convenções sociais e aos interesses econômicos, tão ao gosto do sacerdócio organizado, em todas as eras e em todos os lugares.

Extremamente dedicados ao esforço próprio, não viviam do altar de sua fé, mas do trabalho edificante, fosse na indumentária dos escravos oprimidos, ou no insulamento do deserto que as suas aspirações religiosas sabiam povoar de um santo dinamismo construtivo.

280. Os profetas do Cristo têm voltado à esfera material para trazer aos homens novas expressões de luz para o futuro da humanidade?

— Em tempo algum as coletividades humanas deixaram de receber a sublime cooperação dos enviados do Senhor, na solução dos grandes problemas do porvir. Nem sempre a palavra da profecia poderá ser trazida pelas mesmas individualidades espirituais dos tempos idos; contudo, os profetas de Jesus, isto é, as poderosas organizações espirituais dos planos superiores, têm estado convosco, incessantemente, impulsando-vos à evolução em todos os sentidos, multiplicando as vossas possibilidades de êxito nas experiências difíceis e dolorosas. É verdade que os novos enviados não precisarão dizer o que já se encontra escrito, em matéria de revelações religiosas; todavia, agem nos setores da Ciência e da Filosofia, da Literatura e da Arte, levantando-vos o pensamento abatido para as maravilhosas construções espirituais do porvir. Igualmente, é certo que os missionários novos não encontraram o deserto de figueiras bravas, onde os seus predecessores se nutriam apenas de gafanhotos e de mel selvagem, mas ainda são obrigados a viver no deserto das cidades tumultuosas, entre corações indiferentes e incompreensíveis, cercados pela ingratidão e pela zombaria dos contemporâneos, que, muitas vezes, lhes impõem o pelourinho e o sacrifício.

O amor de Jesus, todavia, é a seiva divina que lhes alimenta a fibra de trabalho e realização, e, sob as suas bênçãos generosas, as grandes almas solitárias atravessam o mundo, distribuindo a luz do Senhor pelas estradas sombrias.

281. A leitura do Velho Testamento e do Evangelho, nos círculos familiares, como é de hábito entre muitos povos europeus, favorece a renovação dos fluidos salutares de paz na intimidade do coração e do ambiente doméstico?

— Essa leitura é sempre útil, e quando não produz a paz imediata, em vista da heterogeneidade de condições espirituais daqueles que a ouvem em conjunto, constitui sempre proveitosa sementeira evangélica, extensiva às entidades do plano invisível, que a assistem, sendo lícito esperar mais tarde o seu florescimento e frutificação.

3.2 EVANGELHO

3.2.1 Jesus

282. Se devemos considerar o Velho Testamento como a pedra angular da Revelação divina, qual a posição do Evangelho de Jesus na educação religiosa dos homens?

— O Velho Testamento é o alicerce da Revelação divina. O Evangelho é o edifício da redenção das almas. Como tal, devia ser procurada a lição de Jesus, não mais para qualquer exposição teórica, mas visando cada discípulo ao aperfeiçoamento de si mesmo, desdobrando as edificações do divino Mestre no terreno definitivo do Espírito.

283. Com referência a Jesus, como interpretar o sentido das palavras de João: "E o Verbo se fez carne e habitou entre nós, cheio de graça e verdade"?

— Antes de tudo, precisamos compreender que Jesus não foi um filósofo e nem poderá ser classificado entre os valores propriamente humanos, tendo-se em conta os valores divinos de sua hierarquia espiritual, na direção das coletividades terrícolas. Enviado de Deus, Ele foi a representação do Pai junto do rebanho de filhos transviados do seu amor e da sua sabedoria, cuja tutela lhe foi confiada nas ordenações sagradas da vida no Infinito.

Diretor angélico do orbe, seu coração não desdenhou a permanência direta entre os tutelados míseros e ignorantes, dando ensejo às palavras do apóstolo, acima referidas.

284. O apóstolo João recebeu missão diferente, na organização do Evangelho, considerando-se a diversidade de suas exposições em confronto com as narrações de seus companheiros?

— Ainda aí, temos de considerar a especialização das tarefas, no capítulo das obrigações conferidas a cada um. As peças nas narrações evangélicas identificam-se naturalmente, entre si, como partes indispensáveis de um todo, mas somos compelidos a observar que, se Mateus, Marcos e Lucas receberam a tarefa de apresentar, nos textos sagrados, o Pastor de Israel na sua feição sublime, a João coube a tarefa de revelar o Cristo divino, na sua sagrada missão universalista.

285. "Jesus Cristo é sem pai, sem mãe, sem genealogia". Como interpretar essa afirmativa, em face da palavra de Mateus?

— Faz-se necessário entendermos a missão universalista do Evangelho de Jesus, por meio da palavra de João, para compreender tal afirmativa no tocante à genealogia do Mestre divino, cujas sagradas raízes repousam no infinito do amor e de sabedoria em Deus.

286. O sacrifício de Jesus deve ser apreciado tão somente pela dolorosa expressão do Calvário?

— O Calvário representou o coroamento da obra do Senhor, mas o sacrifício na sua exemplificação se verificou em todos os dias da sua passagem pelo planeta. E o cristão deve buscar, antes de tudo, o modelo nos exemplos do Mestre, porque o Cristo ensinou com amor e humildade o segredo da felicidade espiritual, sendo imprescindível que todos os discípulos edifiquem no íntimo essas virtudes, com as quais saberão remontar ao calvário de suas dores, no momento oportuno.

287. Numerosos discípulos do Evangelho consideram que o sacrifício do Gólgota não teria sido completo sem o máximo de dor material para o Mestre divino. Como conceituar essa suposição em face da intensidade do sofrimento moral que a cruz lhe terá oferecido?

— A dor material é um fenômeno como o dos fogos de artifício, em face dos legítimos valores espirituais.

Homens do mundo que morreram por uma ideia muitas vezes não chegaram a experimentar a dor física, sentindo apenas a amargura da incompreensão do seu ideal.

Imaginai, pois, o Cristo, que se sacrificou pela humanidade inteira, e chegareis a contemplá-lo na imensidão da sua dor espiritual, augusta e indefinível para a nossa apreciação restrita e singela.

De modo algum poderíamos fazer um estudo psicológico de Jesus, estabelecendo dados comparativos entre o Senhor e o homem.

Em sua exemplificação divina, faz-se mister considerar, antes de tudo, o seu amor, a sua humildade, a sua renúncia por toda a humanidade.

Examinados esses fatores, a dor material teria significação especial para que a obra cristã ficasse consagrada? A dor espiritual, grande demais para ser compreendida, não constituiu o ponto essencial da sua perfeita renúncia pelos homens?

Nesse particular, contudo, as criaturas humanas prosseguirão discutindo, como as crianças que somente admitem as realidades da vida de um adulto, quando se lhes fornece o conhecimento tomando para imagens o cabedal imediato dos seus brinquedos.

288. "Meu Pai e eu somos Um". Poderemos receber mais algum esclarecimento sobre essa afirmativa do Cristo?

— A afirmativa evidenciava a sua perfeita identidade com Deus, na direção de todos os processos atinentes à marcha evolutiva do planeta terrestre.

289. São muitos os Espíritos em evolução na Terra, ou nas esferas mais próximas, que já viram o Cristo, experimentando a glória da sua presença divina?

— Toda a comunidade dos Espíritos encarnados na Terra, ou localizados em suas esferas de labor espiritual mais ligadas ao planeta, sentem a sagrada influência do Cristo, por meio da assistência de seus prepostos; todavia, pouquíssimos alcançaram a pureza indispensável para a contemplação do Mestre no seu plano divino.

290. Poder-se-á reconhecer nas parábolas de Jesus a expressão fenomênica das palavras, guardando a eterna vibração de seu sentimento nos ensinos?

— Sim. As parábolas do Evangelho são como as sementes divinas que desabrochariam, mais tarde, em árvores de misericórdia e de sabedoria para a humanidade.

291. Como interpretar o anticristo?

— Podemos simbolizar como anticristo o conjunto das forças que operam contra o Evangelho, na Terra e nas esferas vizinhas do homem, mas, não devemos figurar nesse anticristo um poder absoluto e definitivo que pudesse neutralizar a ação de Jesus, porquanto, com tal suposição, negaríamos a Providência e a Bondade infinitas de Deus.

3.2.2 Religiões

292. Em que sentido deveremos tomar o conceito de religiões?

— Religião, para todos os homens, deveria compreender-se como sentimento divino que clarifica o caminho das almas e que cada Espírito apreenderá na pauta do seu nível evolutivo.

Neste sentido, a Religião é sempre a face augusta e soberana da Verdade; porém, na inquietação que lhes caracteriza a existência na Terra, os homens se dividiram em numerosas religiões, como se a fé também pudesse ter fronteiras, à semelhança das pátrias materiais, tantas vezes mergulhadas no egoísmo e na ambição de seus filhos.

Dessa falsa interpretação têm nascido no mundo as lutas antifraternais e as dissensões religiosas de todos os tempos.

293. As religiões que surgiram no mundo, antes do Cristo, tinham também por missão principal a preparação da mentalidade humana para a sua vinda?

— Todas as ideais religiosas, que as criaturas humanas traziam consigo do pretérito milenário, destinavam-se a preparar o homem para receber e aceitar o Cordeiro de Deus, com a sua mensagem de amor perene e reforma espiritual definitiva.

O Cristianismo é a síntese, em simplicidade e luz, de todos os sistemas religiosos mais antigos, expressões fragmentárias das verdades sublimes trazidas ao mundo na palavra imorredoura de Jesus.

Os homens, contudo, não obstante todos os elementos de preparação, continuaram divididos e, dentro das suas características de rebeldia, procrastinaram a sua edificação nas lições renovadoras do Evangelho.

294. Reconhecendo-se que várias seitas nasceram igualmente do Cristianismo, devemos considerá-las cristãs, ou simples expressões religiosas insuladas da verdade de Jesus?

— Todas as expressões religiosas nascidas do Cristianismo se identificam pela seiva de amor do tronco que as congrega, apesar dos erros humanos de seus expositores. Os sacerdotes das mais diversas castas inventaram os manuais teológicos, os princípios dogmáticos e as fórmulas políticas; todavia, nenhum esforço humano conseguiu deslustrar a claridade divina do "amai-vos uns aos outros", base imortal de todos os ensinos de Jesus, cuja luminosa essência identifica as castas entre si, em todas as posições e tarefas especializadas que lhes foram conferidas.

295. Se as seitas religiosas nascidas do Cristianismo têm uma tarefa especializada, qual será a das correntes protestantes, oriundas da Reforma?

— A Reforma e os movimentos que se lhe seguiram vieram ao mundo com a missão especial de exumar a "letra" dos Evangelhos, enterrada até então nos arquivos da intolerância clerical, nos seminários e nos conventos, a fim de que, depois da sua tarefa, pudesse o Consolador prometido, pela voz do Espiritismo cristão, ensinar aos homens o *espírito divino* de todas as lições de Jesus.

296. O Espírito, antes de reencarnar, escolhe também as crenças ou cultos a que se deverá submeter nas experiências da vida?

— Todos os Espíritos, reencarnando no planeta, trazem consigo a ideia de Deus, identificando-se de modo geral nesse sagrado princípio.

Os cultos terrestres, porém, são exteriorizações desse princípio divino, dentro do mundo convencional, depreendendo-se daí que a Verdade é uma só, e que as seitas terrestres são materiais de experiência e de evolução, dependendo a preferência de cada um do estado evolutivo em que se encontre no aprendizado da existência humana, e salientando-se que a escolha está sempre de pleno acordo com o seu estado íntimo, seja na viciosa tendência de repousar nas ilusões do culto externo, seja, pelo esforço sincero de evoluir, na pesquisa incessante da edificação divina.

297. Considerando que a convenção social confere aos sacerdotes das seitas cristãs certas prerrogativas na realização de determinados acontecimentos da vida, como interpretar as palavras de Mateus: "Tudo o que ligardes na Terra, será ligado no Céu", se os sacerdotes, tantas vezes, não se mostram dignos de falar no mundo em nome de Deus?

— Faz-se indispensável observar que as palavras do Cristo foram dirigidas aos apóstolos e que a missão de seus companheiros não era restrita ao ambiente das tribos de Israel, tendo a sua divina continuação além das próprias atividades terrestres. Até hoje, os discípulos diretos do Senhor têm a sua tarefa sagrada, em cooperação com o Mestre divino, junto da humanidade — a Israel mística dos seus ensinamentos.

Os méritos dos apóstolos de modo algum poderiam ser automaticamente transferidos aos sacerdotes degenerados pelos interesses políticos e financeiros de determinados grupos terrestres, depreendendo-se daí que a Igreja romana, a que mais tem abusado desses conceitos, uma vez mais desviou o sentido sagrado da lição do Cristo.

Importa, porém, lembrarmos neste particular a promessa de Jesus, de que estaria sempre entre aqueles que se reunissem sinceramente em seu nome.

Nessas circunstâncias, os discípulos leais devem manter-se em plano superior ao do convencionalismo terrestre, agindo com a própria consciência e com a melhor compreensão de responsabilidade, em todos os climas do mundo, porquanto, desse modo, desde que desenvolvam atuação no bem, pelo bem e para o bem, em nome do Senhor, terão seus atos evangélicos tocados pela luz sacrossanta das sanções divinas.

298. Considerando que as religiões invocam o evangelho de Mateus para justificar a necessidade do batismo em seus característicos cerimoniais, como deverá proceder o espírita em face desse assunto?

— Os espíritas sinceros, na sagrada missão de paternidade, devem compreender que o batismo, aludido no Evangelho, é o da invocação das bênçãos divinas para quantos a eles se reúnem no instituto santificado da família.

Longe de quaisquer cerimônias de natureza religiosa, que possam significar uma continuação dos fetichismos da Igreja romana, que se aproveitou do símbolo evangélico para a chamada venda dos sacramentos, o espírita deve entender o batismo como o apelo do seu coração ao Pai de Misericórdia, para que os seus esforços sejam santificados no trabalho de conduzir as almas a ele confiadas no instituto familiar, compreendendo, além do mais, que esse ato de amor e de compromisso divino deve ser continuado por toda a vida, na renúncia e no sacrifício, em favor da perfeita cristianização dos filhos, no apostolado do trabalho e da dedicação.

299. Qual o procedimento a ser adotado pelos espíritas na consagração do casamento, sem ferir as convenções sociais, reflexas dos cultos religiosos?

— Os cultos religiosos, em sua feição dogmática, são igualmente transitórios como todas as fórmulas do convencionalismo humano.

Que o espírita sincero e cristão, assumindo os seus compromissos conjugais perante as leis dos homens, busque honrar a sua promessa e a sua decisão, santificando o casamento com o rigoroso desempenho de todos os seus deveres evangélicos, ante os preceitos terrestres e ante a imutável Lei divina que vibra em sua consciência cristianizada.

300. Como interpretar a missa no culto externo da Igreja Católica?

— Perante o coração sincero e fraternal dos crentes, a missa idealizada pela Igreja de Roma deve ser um ato exterior, respeitável para nós outros, como qualquer cerimônia convencionalista do mundo, que exija a mútua consideração social no mecanismo de relações superficiais da Terra.

A Igreja de Roma pretende comemorar, com ela, o sacrifício do Mestre pela humanidade; todavia, a cerimônia se efetua de conformidade com a posição social e financeira do crente.

Ocorrem, dessa maneira, as missas mais variadas, tais como a *do galo*, a *nova*, a *particular*, a *pontifical*, a *das almas*, a *seca*, a *cantada*, a *chá*, a *campal*, etc., adstritas a um prontuário tão convencionalista e tão superficial, que é de admirar a adaptação ao seu mistifório, por parte do sacerdote inteligente e afeito à sinceridade.

301. As aparições e os chamados milagres relacionados na história da origem das igrejas são fatos de natureza mediúnica?

— Todos esses acontecimentos, classificados no domínio do sobrenatural, foram fenômenos psíquicos sobre os quais se edificaram as igrejas conhecidas, fatos esses que o Espiritismo veio catalogar e esclarecer, na sua divina missão de Consolador.

3.2.3 Ensinamentos

302. Como compreender a afirmativa de Jesus aos judeus: "Sois deuses"?

— Em todo homem repousa a partícula da divindade do Criador, com a qual pode a criatura terrestre participar dos poderes sagrados da Criação.

O Espírito encarnado ainda não ponderou devidamente o conjunto de possibilidades divinas guardadas em suas mãos, dons sagrados tantas vezes convertidos em elementos de ruína e destruição.

Entretanto, os poucos que sabem crescer na sua divindade, pela exemplificação e pelo ensinamento, são cognominados na Terra santos e heróis, por afirmarem a sua condição espiritual, sendo justo que todas as criaturas procurem alcançar esses valores, desenvolvendo para o bem e para a luz a sua natureza divina.

303. Qual o sentido do ensinamento evangélico: "Todos os pecados ser-vos-ão perdoados, menos os que cometerdes contra o Espírito Santo"?

— A aquisição do conhecimento espiritual, com a perfeita noção de nossos deveres, desperta em nosso íntimo a centelha do Espírito divino, que se encontra no âmago de todas as criaturas.

Nesse instante, descerra-se à nossa visão profunda o santuário da luz de Deus, dentro de nós mesmos, consolidando e orientando as nossas mais legítimas noções de responsabilidade na vida.

Enquanto o homem se desvia ou fraqueja, distante dessa iluminação, seu erro justifica-se, de alguma sorte, pela ignorância ou pela cegueira. Todavia, a falta cometida com a plena consciência do dever, depois da bênção do conhecimento interior, guardada no coração e no raciocínio, essa significa o "pecado contra o Espírito Santo", porque a alma humana estará, então, contra si mesma, repudiando as suas divinas possibilidades.

É lógico, portanto, que esses erros são os mais graves da vida, porque consistem no desprezo dos homens pela expressão de Deus, que habita neles.

304. Qual o espírito destas letras: "Não cuideis que vim trazer paz à Terra; não vim trazer a paz, mas a espada"?

— Todos os símbolos do Evangelho, dado o meio em que desabrocharam, são, quase sempre, fortes e incisivos.

Jesus não vinha trazer ao mundo a palavra de contemporização com as fraquezas do homem, mas a centelha de luz para que a criatura humana se iluminasse para os planos divinos.

E a lição sublime do Cristo, ainda e sempre, pode ser conhecida como a "espada" renovadora, com a qual deve o homem lutar consigo mesmo, extirpando os velhos inimigos do seu coração, sempre capitaneados pela ignorância e pela vaidade, pelo egoísmo e pelo orgulho.

305. A afirmativa do Mestre: "Porque eu vim pôr em dissensão o filho contra seu pai, a filha contra sua mãe e a nora contra sua sogra". Como deve ser compreendida em espírito e verdade?

— Ainda aqui, temos de considerar a feição antiga do hebraico, com a sua maneira vigorosa de expressão.

Seria absurdo admitir que o Senhor viesse estabelecer a perturbação no sagrado instituto da família humana, nas suas elevadas expressões afetivas, mas, sim, que os seus ensinamentos consoladores seriam o fermento divino das opiniões, estabelecendo os movimentos naturais das ideias renovadoras, fazendo luz no íntimo de cada um, pelo esforço próprio, para felicidade de todos os corações.

306. "E tudo o que pedirdes na oração, crendo, o recebereis". Esse preceito do Mestre tem aplicação, igualmente, no que se refere aos bens materiais?

— O "seja feita a vossa vontade", da oração comum, constitui nosso pedido geral a Deus, cuja Providência, por meio dos seus mensageiros, nos proverá o Espírito ou a condição de vida do mais útil, conveniente e necessário ao nosso progresso espiritual, para a sabedoria e para o amor.

O que o homem não deve esquecer, em todos os sentidos e circunstâncias da vida, é a prece do trabalho e da dedicação, no santuário da existência de lutas purificadoras, porque Jesus abençoará as suas realizações de esforço sincero.

307. Por que disse Jesus que "o escândalo é necessário, mas ai daquele por quem o escândalo vier"?

— Num plano de vida, onde quase todos se encontram pelo escândalo que praticaram no pretérito, é justo que o mesmo "escândalo" seja necessário, como elemento de expiação, de prova ou de aprendizado, porque aos homens falta ainda aquele "amor que cobre a multidão dos pecados".

As palavras do ensinamento do Mestre ajustam-se, portanto, de maneira perfeita, à situação dos encarnados do mundo, sendo lastimáveis os que não vigiam, por se tornarem, desse modo, instrumentos de tentação nas suas quedas constantes, através dos longos caminhos.

308. As palavras de João: "A luz brilhou nas trevas e as trevas não a compreenderam", tiveram aplicação somente quando da exemplificação do Cristo, há dois mil anos, ou essa aplicação é extensiva à nossa era?

— As palavras do apóstolo referiam-se à sua época; todavia, o simbolismo evangélico do seu enunciado estende-se aos tempos modernos, nos quais a lição do Senhor permanece incompreendida para a maioria dos corações, que persistem em não ver a luz, fugindo à verdade.

309. Em que sentido devemos interpretar as sentenças de João Batista: "A quem pertence a esposa é o esposo; mas o amigo do esposo, que com ele está e ouve, muito se regozija por ouvir a voz do esposo. Pois este gozo eu agora experimento; é preciso que ele cresça e que eu diminua"?

— O esposo da humanidade terrestre é Jesus Cristo, o mesmo Cordeiro de Deus que arranca as almas humanas dos caminhos escusos da impenitência.

O amigo do esposo é o seu precursor, cuja expressão humana deveria desaparecer, a fim de que Jesus resplandecesse para o mundo inteiro, no seu Evangelho de Verdade e Vida.

310. A transfiguração do Senhor é também um símbolo para a humanidade?

— Todas as expressões do Evangelho possuem uma significação divina e, no Tabor, contemplamos a grande lição de que o homem deve viver a sua existência, no mundo, sabendo que pertence ao Céu, por sua sagrada origem, sendo indispensável, desse modo, que se desmaterialize, a todos os instantes, para que se desenvolva em amor e sabedoria, na sagrada exteriorização da virtude celeste, cujos germens lhe dormitam no coração.

311. Qual o sentido da afirmativa do texto sagrado, acerca de Jesus: "Não tendo Deus querido sacrifício, nem oblata, lhe formou um corpo"?

— Para Deus, o mundo não mais deveria persistir no velho costume de sacrificar nos altares materiais, em seu nome, razão por que enviou aos homens a palavra do Cristo, a fim de que a humanidade aprendesse a sacrificar no altar do coração, na ascensão divina dos sentimentos para o seu amor.

312. Como interpretar a afirmativa de João: "Três são os que fornecem testemunho no céu: o Pai, o Verbo e o Espírito Santo"?

— João referia-se ao Criador, a Jesus, que constituía para a Terra a sua mais perfeita personificação, e à legião dos Espíritos redimidos e santificados que cooperam com o divino Mestre, desde os primeiros dias da organização terrestre, sob a misericórdia de Deus.

313. Como entender a bem-aventurança conferida por Jesus aos "pobres de espírito"?

— O ensinamento do divino Mestre referia-se às almas simples e singelas, despidas do "espírito de ambição e de egoísmo", que costumam triunfar nas lutas do mundo. Não costumais até hoje denominar os vitoriosos do século, nas questões puramente materiais, de "homens de espírito"? É por essa razão que, em se dirigindo à massa popular, aludia o Senhor aos corações despretensiosos e humildes, aptos a lhe seguirem os ensinamentos, sem determinadas preocupações rasteiras da existência material.

314. Qual a maior lição que a humanidade recebeu do Mestre, ao lavar Ele os pés dos seus discípulos?

— Entregando-se a esse ato, queria o divino Mestre testemunhar às criaturas humanas a suprema lição da humildade, demonstrando, ainda uma vez, que, na coletividade cristã, o maior para Deus seria sempre aquele que se fizesse o menor de todos.

315. Por que razão Jesus, ao lavar os pés dos discípulos, cingiu-se com uma toalha?

— O Cristo, que não desdenhou a energia fraternal na eliminação dos erros da criatura humana, afirmando-se como o Filho de Deus nos divinos fundamentos da Verdade, quis proceder desse modo para revelar-se o escravo pelo amor à humanidade, à qual vinha trazer a luz da vida, na abnegação e no sacrifício supremos.

316. Aceitando Jesus o auxílio de Simão, o cireneu, desejava deixar um novo ensinamento às criaturas?

— Essa passagem evangélica encerra o ensinamento do Cristo, concernente à necessidade de cooperação fraternal entre os homens, em todos os trâmites da vida.

317. A ressurreição de Lázaro, operada pelo Mestre, tem um sentido oculto, como lição à humanidade?

— O episódio de Lázaro era um selo divino identificando a passagem do Senhor, mas também foi o símbolo sagrado da ação do Cristo sobre o homem, testemunhando que o seu amor arrancava a humanidade do seu sepulcro de misérias, humanidade a favor da qual tem o Senhor dado o sacrifício de suas lágrimas, ressuscitando-a para o sol da vida eterna, nas sagradas lições do seu Evangelho de amor e de redenção.

318. Poderemos receber um ensinamento sobre a eucaristia, dado o costume tradicional da Igreja romana, que recorda a ceia dos discípulos com o vinho e a hóstia?

— A verdadeira eucaristia evangélica não é a do pão e do vinho materiais, como pretende a Igreja de Roma, mas, a identificação legítima e total do discípulo com Jesus, de cujo ensino de amor e sabedoria deve haurir a essência profunda, para iluminação dos seus sentimentos e do seu raciocínio, através de todos os caminhos da vida.

319. Quem terá recebido maior soma de misericórdia na Justiça divina: Judas, o discípulo infiel, mas iludido e arrependido, ou o sacerdote maldoso e indiferente, que o induziu à defecção?

— Quem há recebido mais misericórdia, por mais necessitado e indigente, é o mau sacerdote de todos os tempos que, longe de confundir a lição do Cristo uma só vez, vem praticando a defecção espiritual para com o divino Mestre, desde muitos séculos.

320. Que ensinamentos nos oferece a negação de Pedro?

— A negação de Pedro serve para significar a fragilidade das almas humanas, perdidas na invigilância e na despreocupação da realidade espiritual, deixando-se conduzir, indiferentemente, aos torvelinhos mais tenebrosos do sofrimento, sem cogitarem de um esforço legítimo e sincero, na definitiva edificação de si mesmas.

321. Qual a edição dos Evangelhos que melhor traduz a fonte original?

— A grafia original dos Evangelhos já representa, em si mesma, a própria tradução do ensino de Jesus, considerando-se que essa tarefa foi delegada aos seus apóstolos.

Sendo razoável estimarmos, em todas as circunstâncias, os esforços sinceros, seja qual for o meio onde se desdobram, apenas consideramos que, em todas as traduções dos ensinamentos do Mestre divino, se torna imprescindível separar da letra o espírito.

Podereis objetar que a letra deveria ser simples e clara. Convenhamos que sim, mas importa observar que os Evangelhos são o roteiro das almas, e é com a visão espiritual que devem ser lidos; pois, constituindo a cátedra de Jesus, o discípulo que deles se aproximar com a intenção sincera de aprender encontra, sob todos os símbolos da letra, a palavra persuasiva e doce, simples e enérgica, da inspiração do seu Mestre imortal.

3.3 AMOR

3.3.1 União

322. Há uma gradação do amor, no seio das manifestações da natureza visível e invisível?

— Sem dúvida, essa gradação existiu em todos os tempos, como gradativa é a posição de todos os seres na escala infinita do progresso. O amor é a lei própria da vida e, sob o seu domínio sagrado, todas as criaturas e todas as coisas se reúnem ao Criador, dentro do plano grandioso da unidade universal. Desde as manifestações mais humildes dos reinos inferiores da natureza, observamos a exteriorização do amor em sua feição divina. Na poeira cósmica, síntese da vida, temos as atrações magnéticas profundas; nos corpos simples, vemos as chamadas *precipitações* da química; nos reinos mineral e vegetal verificamos o problema das combinações indispensáveis. Nas expressões da vida animal observamos o amor em tudo, em gradações infinitas, da violência à ternura, nas manifestações do irracional.

No caminho dos homens é ainda o amor que preside a todas as atividades da existência em família e em sociedade. Reconhecida a sua luz divina em todos os ambientes, observaremos a união dos seres como um ponto sagrado, referência dessa Lei única que dirige o universo.

Das expressões de sexualidade, o amor caminha para o supersexualismo, marchando sempre para as sublimadas emoções da espiritualidade pura, pela renúncia e pelo trabalho santificantes, até alcançar o amor divino, atributo dos seres angélicos, que se edificaram para a união com Deus, na execução de seus sagrados desígnios no universo.

323. Será uma verdade a teoria das almas gêmeas?

— No sagrado mistério da vida, cada coração possui no Infinito a alma gêmea da sua, companheira divina para a viagem à gloriosa imortalidade.

Criadas umas para as outras, as almas gêmeas se buscam, sempre que separadas. A união perene é-lhes a aspiração suprema e indefinível. Milhares de seres, se transviados no crime ou na inconsciência, experimentam a separação das almas que os sustentam, como a provação mais ríspida e dolorosa, e, no drama das existências mais obscuras, vemos sempre a atração eterna das almas que se amam mais intimamente, evolvendo umas para as outras, num turbilhão de ansiedades angustiosas, atração que é superior a todas as expressões convencionais da vida terrestre. Quando se encontram, no acervo dos trabalhos humanos, sentem-se de posse da felicidade real para os seus corações — a da ventura de sua união, pela qual não trocariam todos os impérios do mundo, e a única amargura que lhes empana a alegria é a perspectiva de uma nova separação pela morte, perspectiva essa que a luz da Nova Revelação veio dissipar, descerrando para todos os espíritos, amantes do bem e da verdade, os horizontes eternos da vida.

324. Existe nos textos sagrados algum elemento de comprovação para a teoria das almas gêmeas?

— Somos dos primeiros a reconhecer que em todos os textos necessitamos separar o espírito da letra; contudo, é justo lembrar que nas primeiras páginas do Antigo Testamento, base da Revelação divina, está registrado: "e Deus considerou que o homem não devia ficar só".[2]

325. *A atração das almas gêmeas é traço característico de todos os planos de luta na Terra?*

— O universo é o plano infinito que o Pensamento divino povoou de ilimitadas e intraduzíveis belezas.
Para todos nós, o primeiro instante da criação do ser está mergulhado num suave mistério, assim como também a atração profunda e inexplicável que arrasta uma alma para outra, no instituto dos trabalhos, das experiências e das provas, no caminho infinito do tempo.
A ligação das almas gêmeas repousa, para o nosso conhecimento relativo, nos desígnios divinos, insondáveis na

---

[2] Veja-se *Nota à primeira edição*, no final do volume.

sua sagrada origem, constituindo a fonte vital do interesse das criaturas para as edificações da vida. Separadas ou unidas, nas experiências do mundo, as almas irmãs caminham, ansiosas, pela união e pela harmonia supremas, até que se integrem, no plano espiritual, onde se reúnem para sempre na mais sublime expressão de amor divino, finalidade profunda de todas as cogitações do ser, no dédalo do destino.

326. *A união das almas gêmeas pode constituir restrição ao amor universal?*

— O amor das almas gêmeas não pode efetuar semelhante restrição, porquanto, atingida a culminância evolutiva, todas as expressões afetivas se irmanam na conquista do amor divino. O amor das almas gêmeas, em suma, é aquele que o Espírito, um dia, sentirá pela humanidade inteira.

327. *Se todos os seres possuem a sua alma gêmea, qual a alma gêmea de Jesus Cristo?*

— Não julgamos acertado trazer a figura do Cristo para condicioná-la aos meios humanos, num paralelismo injustificável, porquanto em Jesus temos de observar a finalidade sagrada dos gloriosos destinos do Espírito.
Nele cessaram os processos, sendo indispensável reconhecer na sua luz as realizações que nos compete atingir.
Representando para nós outros a síntese do amor divino, somos compelidos a considerar que de sua culminância

espiritual enlaçou no seu coração magnânimo, com a mesma dedicação, a humanidade inteira, depois de realizar o amor supremo.

328. Perante a teoria das almas gêmeas, como esclarecer a situação dos viúvos que procuram novas uniões matrimoniais, alegando a felicidade encontrada no lar primitivo?

— Não devemos esquecer que a Terra ainda é uma escola de lutas regeneradoras ou expiatórias, onde o homem pode consorciar-se várias vezes, sem que a sua união matrimonial se efetue com a alma gêmea da sua, muitas vezes distante da esfera material.

A criatura transviada, até que se espiritualize para a compreensão desses laços sublimes, está submetida, no mapa de suas provações, a tais experiências, por vezes pesadas e dolorosas.

A situação de inquietude e subversão de valores na alma humana justifica essa provação terrestre, caracterizada pela distância dos Espíritos amados, que se encontram num plano de compreensão superior, os quais, longe de desdenharem as boas experiências dos companheiros de seus afetos, buscam facultar-lhas com a máxima dedicação, de modo a facilitar o seu avanço direto às mais elevadas conquistas espirituais.

329. Os Espíritos evolutidos, pelo fato de deixarem algum ser amado na Terra, ficam ligados ao planeta pelos laços da saudade?

— Os Espíritos superiores não ficam propriamente ligados ao orbe terreno, mas não perdem o interesse afetivo pelos seres amados que deixaram no mundo, pelos quais trabalham com ardor, impulsionando-os na estrada das lutas redentoras, em busca das culminâncias da perfeição.

A saudade, nessas almas santificadas e puras, é muito mais sublime e mais forte, por nascer de uma sensibilidade superior, salientando-se que, convertida num interesse divino, opera as grandes abnegações do Céu, que seguem os passos vacilantes do Espírito encarnado, através de sua peregrinação expiatória ou redentora na face da Terra.

330. Somente pela prece a alma encarnada pode auxiliar um Espírito bem-amado que a antecedeu na jornada do túmulo?

— A oração coopera eficazmente em favor do que partiu, muitas vezes com o Espírito emaranhado na rede das ilusões da existência material. Todavia, o coração amigo que ficou aí no mundo, pela vibração silenciosa e pelo desejo perseverante de ser útil ao companheiro que o precedeu na sepultura, para os movimentos da vida, nos momentos de repouso do corpo, em que a alma evolvida pode gozar de relativa liberdade, pode encontrar o Espírito sofredor ou errante do amigo desencarnado, despertar-lhe a vontade no cumprimento do dever, bem como orientá-lo sobre a sua realidade nova, sem que a sua memória corporal registre o acontecimento na vigília comum.

Daí nasce a afirmativa de que somente o amor pode atravessar o abismo da morte.

331. Como devemos interpretar a sentença: "Há eunucos que se castraram a si mesmos, por causa do reino dos céus"?

— Almas existem que, para obterem as sagradas realizações de Deus em si próprias, entregam-se a labores de renúncia, em existência de santificada abnegação. Nesse mister, é comum abdicarem transitoriamente as ligações humanas, de modo a acrisolarem os seus afetos e sentimentos em vidas de ascetismo e de longas disciplinas materiais.

Quase sempre, os que na Terra se fazem eunucos para os reinos do céu, agem de acordo com os dispositivos sagrados de missões redentoras, nas quais, pelo sacrifício e pela dedicação, se redimem entes amados ou a alma gêmea da sua, exilados nos caminhos expiatórios. Numerosos Espíritos recebem de Jesus permissão para esse gênero de esforços santificantes, porquanto, nessa tarefa, os que se fazem eunucos, pelos reinos do céu, precipitam os processos de redenção do ser ou dos seres amados, submersos nas provas e, simultaneamente, pela sua condição de evolvidos, podem ser mais facilmente transformados, na Terra, em instrumentos da verdade e do bem, redundando o seu trabalho em benefícios inestimáveis para os entes queridos, para a coletividade e para si próprios.

3.3.2 Perdão

332. Perdoar e não perdoar significa absolver e condenar?

— Nas mais expressivas lições de Jesus, não existem, propriamente, as condenações implícitas ao sofrimento eterno, como quiseram os inventores de um inferno mitológico. Os ensinos evangélicos referem-se ao perdão ou à sua ausência. Que se faz ao mau devedor a quem já se tolerou muitas vezes? Não havendo mais solução para as dívidas que se multiplicam, esse homem é obrigado a pagar.

É o que se verifica com as almas humanas, cujos débitos, no tribunal da Justiça divina, são resgatados nas reencarnações, de cujo círculo vicioso poderão afastar-se, cedo ou tarde, pelo esforço no trabalho e boa vontade no pagamento.

333. Na Lei divina, há perdão sem arrependimento?

— A Lei divina é uma só, isto é, a do Amor que abrange todas as coisas e todas as criaturas do universo ilimitado.

A concessão paternal de Deus, no que se refere à reencarnação para a sagrada oportunidade de uma nova experiência, já significa, em si, o perdão ou a magnanimidade da Lei. Todavia, essa oportunidade só é concedida quando o Espírito deseja regenerar-se e renovar seus valores íntimos pelo esforço nos trabalhos santificantes.

Eis por que a boa vontade de cada um é sempre o arrependimento que a Providência divina aproveita em favor do aperfeiçoamento individual e coletivo, na marcha dos seres para as culminâncias da evolução espiritual.

334. Antes de perdoarmos a alguém, é conveniente o esclarecimento do erro?

— Quem perdoa sinceramente, fá-lo sem condições e olvida a falta no mais íntimo do coração; todavia, a boa palavra é sempre útil e a ponderação fraterna é sempre um elemento de luz, clarificando o caminho das almas.

335. Quando alguém perdoa, deverá mostrar a superioridade de seus sentimentos para que o culpado seja levado a arrepender-se da falta cometida?

— O perdão sincero é filho espontâneo do amor e, como tal, não exige reconhecimento de qualquer natureza.

336. O culpado arrependido pode receber da Justiça divina o direito de não passar por determinadas provas?

— A oportunidade de resgatar a culpa já constitui, em si mesma, um ato de Misericórdia divina, e, daí, o considerarmos o trabalho e o esforço próprio como a luz maravilhosa da vida.

Estendendo, todavia, a questão à generalidade das provas, devemos concluir ainda, com o ensinamento de Jesus, que "o amor cobre a multidão dos pecados", traçando a linha reta da vida para as criaturas e representando a única força que anula as exigências da lei de talião, dentro do universo infinito.

337. "Concilia-te depressa com o teu adversário." Essa é a palavra do Evangelho, mas se o adversário não estiver de acordo com o bom desejo de fraternidade, como efetuar semelhante conciliação?

— Cumpra cada qual o seu dever evangélico, buscando o adversário para a reconciliação precisa, olvidando a ofensa recebida. Perseverando a atitude rancorosa daquele, seja a questão esquecida pela fraternidade sincera, porque o propósito de represália, em si mesmo, já constitui uma chaga viva para quantos o conservam no coração.

338. Por que teria Jesus aconselhado perdoar "setenta vezes sete"?

— A Terra é um plano de experiências e resgates por vezes bastante penosos, e aquele que se sinta ofendido por alguém, não deve esquecer que ele próprio pode também errar setenta vezes sete.

339. Em se falando de perdão, poderemos ser esclarecidos quanto à natureza do ódio?

— O ódio pode traduzir-se nas chamadas aversões instintivas, dentro das quais há muito de animalidade, que cada homem alijará de si, com os valores da autoeducação, a fim de que o seu entendimento seja elevado a uma condição superior.

Todavia, na maior parte das vezes, o ódio é o gérmen do amor que foi sufocado e desvirtuado por um coração sem Evangelho. As grandes expressões afetivas convertidas nas paixões desorientadas, sem compreensão legítima do amor sublime, incendeiam-se no íntimo, por vezes, no instante das tempestades morais da vida, deixando atrás de si as expressões amargas do ódio, como carvões que enegrecem a alma.

Só a evangelização do homem espiritual poderá conduzir as criaturas a um plano superior de compreensão, de modo a que jamais as energias afetivas se convertam em forças destruidoras do coração.

340. Perdão e esquecimento devem significar a mesma coisa?

— Para a convenção do mundo, o perdão significa renunciar à vingança, sem que o ofendido precise olvidar plenamente a falta do seu irmão; entretanto, para o Espírito evangelizado, perdão e esquecimento devem caminhar juntos, embora prevaleça para todos os instantes da existência a necessidade de oração e vigilância.

Aliás, a própria lei da reencarnação nos ensina que só o esquecimento do passado pode preparar a alvorada da redenção.

341. Os Espíritos de nossa convivência, na Terra, e que partem para o Além sem experimentar a luz do perdão, podem sofrer com as nossas opiniões acusatórias, relativamente aos atos de sua vida?

— A entidade desencarnada muito sofre com o juízo ingrato ou precipitado que, a seu respeito, se formula no mundo.

Imaginai-vos recebendo o julgamento de um irmão de humanidade e avaliai como desejaríeis a lembrança daquilo que possuís de bom, a fim de que o mal não prevaleça em vossa estrada, sufocando-vos as melhores esperanças de regeneração.

Em lembrando aquele que vos precedeu no túmulo, tende compaixão dos que erraram e sede fraternos.

Rememorar o bem é dar vida à felicidade. Esquecer o erro é exterminar o mal. Além de tudo, não devemos esquecer que seremos julgados pela mesma medida com que julgarmos.

3.3.3 Fraternidade

342. A resposta de Jesus aos seus discípulos "Quem é minha mãe e quem são os meus irmãos?", é um incitamento à edificação da fraternidade universal?

— O Senhor referia-se à precariedade dos laços de sangue, estabelecendo a fórmula do amor, a qual não deve estar circunscrita ao ambiente particular, mas ligada ao ambiente universal, em cujas estradas deveremos observar e ajudar, fraternalmente, a todos os necessitados, desde os aparentemente mais felizes, aos mais desvalidos da sorte.

343. Nas leis da fraternidade, como reconhecer, na Terra, o Espírito em missão?

— Precisamos considerar que o Espírito em missão experimenta, igualmente, as suas provas no trabalho a realizar, com a diferença de permanecer menos acessível ao efeito dos sofrimentos humanos, pela condição de superioridade espiritual.

Podereis, todavia, identificar a missão da alma pelos atos e palavras, na exemplificação e no ensino da tarefa que foi chamada a cumprir, porque um emissário de amor deixa em todos os seus passos o luminoso selo do bem.

344. O "amor ao próximo" deve ser levado até mesmo à sujeição, às ousadias e brutalidades das criaturas menos educadas na lição evangélica, sendo que o ofendido deve tolerá-las humildemente, sem o direito de esclarecê-las, relativamente aos seus erros?

— O amor ao próximo inclui o esclarecimento fraterno, a todo tempo em que se faça útil e necessário. A sujeição passiva ao atrevimento ou à grosseria pode dilatar os processos da força e da agressividade; mas, ao receber as suas manifestações, saiba o crente pulverizá-las com o máximo de serenidade e bom senso, a fim de que sejam exterminadas em sua fonte de origem, sem possibilidades de renovação.

Esclarecer é também amar.

Toda a questão reside em bem sabermos explicar, sem expressões de personalismo prejudicial, ainda que com a maior contribuição de energia, para que o erro ou o desvio do bem não prevaleça.

Quanto aos processos de esclarecimento, devem eles dispensar, em qualquer tempo e situação, o concurso da força física, sendo justo que demonstrem as nuanças de energia, requeridas pelas circunstâncias, variando, desse modo, de conformidade com os acontecimentos e com fundamento invariável no bem geral.

345. O preceito evangélico. "se alguém te bater numa face, apresenta-lhe a outra", deve ser observado pelo cristão, mesmo quando seja vítima de agressão corporal não provocada?

— O homem terrestre, com as suas taras seculares, tem inventado numerosos recursos humanos para justificar a chamada "legítima defesa", mas a realidade é que toda a defesa da criatura está em Deus.

Somos de parecer que, agindo o homem com a chave da fraternidade cristã, pode-se extinguir o fermento da agressão, com a luz do bem e da serenidade moral.

Acreditando, contudo, no fracasso de todas as tentativas pacíficas, o cristão sincero, na sua feição individual, nunca deverá cair ao nível do agressor, sabendo estabelecer, em todas as circunstâncias, a diferença entre os seus valores morais e os instintos animalizados da violência física.

346. Nas lutas da vida, como levar a fraternidade evangélica àqueles que mais estimamos, se, por vezes, nosso esforço pode ser mal interpretado, conduzindo-nos a situações mais penosas?

— De conformidade com os desígnios evangélicos, compete-nos esclarecer os nossos semelhantes com amor fraternal, em todas as circunstâncias desagradáveis da existência, como desejaríamos ser assistidos, irmãmente, em situação idêntica dos que se encontram sem tranquilidade; mas, se o atrito dos instintos animalizados prevalece naqueles a quem mais desejamos serenidade e paz, convém deixar-lhes as energias, depois de nossos esforços supremos em trabalho de purificação, na violência que escolheram, até que possam experimentar a serenidade mental imprescindível para se beneficiarem com as manifestações afetuosas do amor e da verdade.

347. A Terra é escola de fraternidade, ou penitenciária de regeneração?

— A Terra deve ser considerada escola de fraternidade para o aperfeiçoamento e regeneração dos Espíritos encarnados.

As almas que aí se encontram em tarefas purificadoras, muitas vezes colimam o resgate de dívidas assaz penosas. Daí o motivo de a maioria encontrar sabor amargo nos trabalhos do mundo, que se lhes afigura rude penitenciária, cheia de gemidos e de aflições.

A verdade incontestável é que os aspectos divinos da natureza serão sempre magníficos e luminosos; porém, cada Espírito os verá pelo prisma do seu coração. Mas, na dor como na alegria, no trabalho feliz como na experiência escabrosa, todas as criaturas deverão considerar a reencarnação um processo de sublime aprendizado fraternal, concedido por Deus aos seus filhos, no caminho do progresso e da redenção.

348. Onde a causa da indiferença dos homens pela fraternidade sincera, observando-se que há geralmente em todos grande entusiasmo pela hegemonia material de seus grupos, suas cidades, clubes e agremiações onde se verifique a evidência pessoal?

— É que as criaturas, de modo geral, ainda têm muito da tribo, encontrando-se encarceradas nos instintos propriamente humanos, na luta das posições e das aquisições, dentro de um egoísmo quase feroz, como se guardassem consigo, indefinidamente, as heranças da vida animal.

Todavia, é preciso recordar que, após a eclosão desses entusiasmos, há sempre o gosto amargo da inutilidade no íntimo dos espíritos desiludidos da precária hegemonia do mundo, instante esse em que a alma experimenta a dilatação de suas tendências profundas para o "mais alto". Nessa hora, a fraternidade conquista uma nova expressão no íntimo da criatura, a fim de que o Espírito possa alçar o grande voo para os mais gloriosos destinos.

349. Fraternidade e igualdade podem, na Terra, merecer um só conceito?

— Já observamos que o conceito igualitário absoluto é impossível no mundo, dada a heterogeneidade das tendências, sentimentos e posições evolutivas no círculo da individualidade. A fraternidade, porém, é a lei da assistência mútua e da solidariedade comum, sem a qual todo progresso, no planeta, seria praticamente impossível.

350. Pode a fraternidade manifestar-se sem a abnegação?

— Fraternidade pode traduzir-se por cooperação sincera e legítima, em todos os trabalhos da vida, e, em toda cooperação verdadeira, o personalismo não pode subsistir, salientando-se que quem coopera cede sempre alguma coisa de si mesmo, dando o testemunho de abnegação, sem a qual a fraternidade não se manifestaria no mundo, de modo algum.

351. Como entender o "amor a nós mesmos", segundo a fórmula do Evangelho?

— O amor a nós mesmos deve ser interpretado como a necessidade de oração e de vigilância, que todos os homens são obrigados a observar.
Amar a nós mesmos não será a vulgarização de uma nova teoria de autoadoração. Para nós outros, a egolatria já teve o seu fim, porque o nosso problema é de iluminação íntima, na marcha para Deus. Esse amor, portanto, deve traduzir-se em esforço próprio, em autoeducação, em observação do dever, em obediência às leis de realização e de trabalho, em perseverança na fé, em desejo sincero de aprender com o único Mestre, que é Jesus Cristo.
Quem se ilumina, cumpre a missão da luz sobre a Terra. E a luz não necessita de outros processos para revelar a verdade, senão o de irradiar espontaneamente o tesouro de si mesma.
Necessitamos encarar essa nova fórmula de amor a nós mesmos, conscientes de que todo bem conseguido por nós, em proveito do próximo, não é senão o bem de nossa própria alma, em virtude da realidade de uma só lei, que é a do amor, e um só dispensador dos bens, que é Deus.

3.4 ESPIRITISMO

3.4.1 Fé

352. Devemos reconhecer no Espiritismo o Cristianismo Redivivo?

— O Espiritismo evangélico é o Consolador prometido por Jesus, que, pela voz dos seres redimidos, espalha as luzes divinas por toda a Terra, restabelecendo a verdade e levantando o véu que cobre os ensinamentos na sua feição de Cristianismo redivivo, a fim de que os homens despertem para a era grandiosa da compreensão espiritual com o Cristo.

353. O Espiritismo veio ao mundo para substituir as outras crenças?

— O Consolador, como Jesus, terá de afirmar igualmente: "Eu não vim destruir a Lei".

O Espiritismo não pode guardar a pretensão de exterminar as outras crenças, parcelas da verdade que a sua Doutrina representa, mas, sim, trabalhar por transformá-las, elevando-lhes as concepções antigas para o clarão da verdade imortalista.

A missão do Consolador tem que se verificar junto das almas e não ao lado das gloríolas efêmeras dos triunfos materiais. Esclarecendo o erro religioso, onde quer que se encontre, e revelando a verdadeira luz, pelos atos e pelos ensinamentos, o espírita sincero, enriquecendo os valores da fé, representa o operário da regeneração do templo do Senhor, onde os homens se agrupam em vários departamentos, ante altares diversos, mas onde existe um só Mestre, que é Jesus Cristo.

354. Poder-se-á definir o que é ter fé?

— Ter fé é guardar no coração a luminosa certeza em Deus, certeza que ultrapassou o âmbito da crença religiosa, fazendo o coração repousar numa energia constante de realização divina da personalidade.

Conseguir a fé é alcançar a possibilidade de não mais dizer: "eu creio", mas afirmar: "eu sei", com todos os valores da razão tocados pela luz do sentimento. Essa fé não pode estagnar em nenhuma circunstância da vida e sabe trabalhar sempre, intensificando a amplitude de sua iluminação, pela dor ou pela responsabilidade, pelo esforço e pelo dever cumprido.

Traduzindo a certeza na assistência de Deus, ela exprime a confiança que sabe enfrentar todas as lutas e problemas, com a Luz divina no coração, e significa a humildade redentora que edifica no íntimo do Espírito a disposição sincera do discípulo, relativamente ao "faça-se no escravo a vontade do Senhor".

355. Será fé acreditar sem raciocínio?

— Acreditar é uma expressão de crença, dentro da qual os legítimos valores da fé se encontram embrionários. O ato de crer em alguma coisa demanda a necessidade do sentimento e do raciocínio, para que a alma edifique a fé em si mesma. Admitir as afirmativas mais estranhas, sem um exame minucioso, é caminhar para o desfiladeiro do absurdo, onde os fantasmas dogmáticos conduzem as criaturas a todos os despautérios. Mas também interferir nos problemas essenciais da vida, sem que a razão esteja iluminada pelo sentimento, é buscar o mesmo declive onde os fantasmas impiedosos da negação conduzem as almas a muitos crimes.

356. A dúvida raciocinada, no coração sincero, é uma base para a fé?

— Toda dúvida que se manifesta na alma cheia de boa vontade, que não se precipita em definições aprioristicas dentro de sua sinceridade, ou que não busca a malícia para contribuir em suas cogitações, é um elemento benéfico para a alma, na marcha da inteligência e do coração rumo à luz sublimada da fé.

357. É justa a preocupação dominante em muitos estudiosos do Espiritismo, pelas revelações do plano superior, a título de enriquecimento da fé?

— Toda curiosidade sadia é natural. O homem, no entanto, deve compreender que a solução desses problemas lhe chegará naturalmente, depois de resolvida a sua situação de devedor ante os seus semelhantes, fazendo-se, então, credor das revelações divinas.

358. Para os Espíritos desencarnados, que já adquiriram muitos valores em matéria de fé, qual o melhor bem da vida humana?

— A vida humana, nas suas características de trabalho pela redenção espiritual, apresenta muitos bens preciosos aos nossos olhos, na sequência das lutas, esforços e sacrifícios de cada Espírito. Para nós outros, porém, o tesouro maior da existência terrestre reside na consciência reta e pura, iluminada pela fé e edificada no cumprimento de todos os deveres mais elevados.

359. Nas cogitações da fé, o Espírito encarnado deve restringir suas divagações ao limite necessário às suas experiências na Terra?

— Pelo menos, é justo que somente cogite das expressões transcendentes ao seu meio, depois de realizar todo o esforço de iluminação que o mundo lhe pode proporcionar nos seus processos de depuração e aperfeiçoamento.

360. Qual deve ser a ação do espírita em face dos dogmas religiosos?

— Os novos discípulos do Evangelho devem compreender que os dogmas passaram. E as religiões literalistas, que os construíram, sempre o fizeram simplesmente em obediência a disposições políticas, no governo das massas.

Dentro das novas expressões evolutivas, porém, os espíritas devem evitar as expressões dogmáticas, compreendendo que a Doutrina é progressiva, esquivando-se a qualquer pretensão de infalibilidade, em face da grandeza inultrapassável do Evangelho.

361. Na propaganda da fé, é justo que os espíritas ou os médiuns estejam preocupados em converter aos princípios da Doutrina os homens de posição destacada no mundo, como os juízes, os médicos, os professores, os literatos, os políticos, etc.?

— Os espíritas cristãos devem pensar muito na iluminação de si mesmos, antes de qualquer prurido, no intuito de converter os outros.

E, ao tratar-se dos homens destacados no convencionalismo terrestre, esse cuidado deve ser ainda maior, porquanto há no mundo um conceito soberano de "força" para todas as criaturas que se encontram nos embates espirituais para a obtenção dos títulos de progresso. Essa "força" viverá entre os homens até que as almas humanas se compenetrem da necessidade do reino de Jesus em seu coração, trabalhando por sua realização plena. Os homens do poder temporal, com exceções, muitas vezes aceitam somente os postulados que a "força" sanciona ou os princípios com que a mesma concorda. Enceguecidos temporariamente pelos véus da vaidade e da fantasia, que a "força" lhes proporciona, faz-se mister deixá-los em liberdade nas suas experiências. Dia virá em que brilharão na Terra os eternos direitos da verdade e do bem, anulando essa "força" transitória. Ainda aqui, tendes o exemplo do divino Mestre que, trazendo ao orbe a maior mensagem de amor e vida para todos os tempos, não teve a preocupação de converter ao Evangelho os Pilatos e os Ântipas do seu tempo.

Além do mais, o Espiritismo, na sua feição de Cristianismo redivivo, não deve nutrir a pretensão de disputar um lugar no banquete dos Estados do mundo, quando sabe muito bem que a sua missão divina há de cumprir-se junto das almas, nos legítimos fundamentos do reino de Jesus.

3.4.2 Prosélitos

362. Poderemos receber um novo ensino sobre os deveres que competem aos espíritas?

— Não devemos especificar os deveres do espírita cristão, porque palavra alguma poderá superar a exemplificação do Cristo, que todo discípulo deve tomar como roteiro da sua vida.

Que o espírita, nas suas atividades comuns, dispense o máximo de indulgência para com os seus semelhantes, sem nenhuma para consigo mesmo, porque, antes de cogitar da iluminação dos outros, deverá buscar a iluminação de si mesmo, no cumprimento de suas obrigações.

363. Como se justifica a existência de certas lutas antifraternas dentro dos grupos espíritas?

— Os agrupamentos espíritas necessitam entender que o seu aparelhamento não pode ser análogo ao das associações propriamente humanas. Um grêmio espírita cristão deve ter, mais que tudo, a característica familiar, onde o amor e a simplicidade figurem na manifestação de todos os sentimentos.

Em uma entidade doutrinária, quando surgem as dissensões e lutas internas, revelando partidarismos e hostilidades, é sinal de ausência do Evangelho nos corações, demonstrando-se pelo excesso de material humano e pressagiando o naufrágio das intenções mais generosas.

Nesses núcleos de estudo, nenhuma realização se fará sem fraternidade e humildade legítimas, sendo imprescindível que todos os companheiros, entre si, vigiem na boa vontade e na sinceridade, a fim de não transformarem a excelência do seu patrimônio espiritual numa reprodução dos conventículos católicos, inutilizados pela intriga e pelo fingimento.

364. O espírita para evoluir na Doutrina necessita estudar e meditar por si mesmo, ou será suficiente frequentar as organizações doutrinárias, esperando a palavra dos guias?

— É indispensável a cada um o esforço próprio no estudo, meditação, cultivo e aplicação da Doutrina, em toda a intimidade de sua vida.

A frequência às sessões ou o fato de presenciar esse ou aquele fenômeno, aceitando-lhe a veracidade, não traduz aquisição de conhecimentos.

Um guia espiritual pode ser um bom amigo, mas nunca poderá desempenhar os vossos deveres próprios, nem vos arrancar das provas e das experiências imprescindíveis à vossa iluminação.

Daí surge a necessidade de vos preparardes individualmente, na Doutrina, para viverdes tais experiências com dignidade espiritual, no instante oportuno.

365. Como deveremos receber os ataques da crítica?

— Os espíritas devem receber a crítica dos campos de opinião contrária, com o máximo de serenidade moral, reconhecendo-lhe a utilidade essencial.

Essas críticas se apresentam, quase sempre, com finalidade preciosa, qual a de selecionar, naturalmente, as contribuições da propaganda doutrinária, afastando os elementos perturbadores e confusos, e valorizando a cooperação legítima e sincera, porque todo ataque à verdade pura serve apenas para destacar e exaltar essa mesma verdade.

366. Como deverá agir o espírita sincero, quando se encontre perante certas extravagâncias doutrinárias?

— À luz da fraternidade pura, jamais neguemos o concurso da boa palavra e da contribuição direta, sempre que oportuno, em benefício do esclarecimento de todos,

O Consolador

guardando, todavia, o cuidado de nunca transigir com os verdadeiros princípios evangélicos, sem, contudo, ferir os sentimentos das pessoas. E se as pessoas perseverarem na incompreensão, cuide cada trabalhador da sua tarefa, porque Jesus afirmou que o trigo cresceria ao lado do joio, em sua seara santa, mas Ele, o cultivador da Verdade divina, saberia escolher o bom grão na época da ceifa.

367. É justo que, a propósito de tudo, busque o espírita tanger os assuntos do Espiritismo nas suas conversações comuns?

— O crente sincero precisa compenetrar-se da oportunidade, no tempo e no ambiente, com relação aos assuntos doutrinários, porquanto, qualquer inconsideração, nesse particular, pode conduzir a fanatismo detestável, sem nenhum caráter construtivo.

368. Nos agrupamentos espíritas devemos provocar, de algum modo, essa ou aquela manifestação do Além?

— Nas reuniões doutrinárias, acima de todas as expressões fenomênicas, devem prevalecer a sinceridade e a aplicação individuais, no estudo das leis morais que regem o intercâmbio entre o planeta e as esferas do invisível.

De modo algum se deverá provocar as manifestações mediúnicas, cuja legitimidade reside nas suas características de espontaneidade, mesmo porque o programa espiritual das sessões está com os mentores que as orientam do plano invisível, exigindo-se de cada estudioso a mais elevada porcentagem de esforço próprio na aquisição do conhecimento, porquanto o plano espiritual distribuirá sempre, de acordo com as necessidades e os méritos de cada um. Forçar o fenômeno mediúnico é tisnar uma fonte de água pura com a vasa das paixões egoísticas da Terra, ou com as suas injustificáveis inquietações.

369. É aconselhável a evocação direta de determinados Espíritos?

— Não somos dos que aconselham a evocação direta e pessoal, em caso algum.

Se essa evocação é passível de êxito, sua exequibilidade somente pode ser examinada no plano espiritual. Daí a necessidade de sermos espontâneos, porquanto, no complexo dos fenômenos espíritas, a solução de muitas incógnitas espera o avanço moral dos aprendizes sinceros da Doutrina. O estudioso bem-intencionado, portanto, deve pedir sem exigir, orar sem reclamar, observar sem pressa, considerando que a esfera espiritual lhe conhece os méritos e retribuirá os seus esforços de acordo com a necessidade de sua posição evolutiva e segundo o merecimento do seu coração.

Poderéis objetar que Allan Kardec se interessou pela evocação direta, procedendo a realizações dessa natureza, mas precisamos ponderar, no seu esforço, a tarefa excepcional do Codificador, aliada a necessidades e méritos ainda distantes da esfera de atividade dos aprendizes comuns.

370. Seria lícito investigarmos, com os Espíritos amigos, as nossas vidas passadas? Essas revelações, quando ocorrem, traduzem responsabilidade para os que as recebem?

— Se estais submersos em esquecimento temporário, esse olvido é indispensável à valorização de vossas iniciativas. Não deveis provocar esse gênero de revelações, porquanto os amigos espirituais conhecem melhor as vossas necessidades e poderão provê-las em tempo oportuno, sem quebrar o preceito da espontaneidade exigido para esse fim.

O conhecimento do pretérito, através das revelações ou das lembranças, chega sempre que a criatura se faz credora de um benefício como esse, o qual se faz acompanhar, por sua vez, de responsabilidades muito grandes no plano do conhecimento; tanto assim que, para muitos, essas reminiscências costumam constituir um privilégio doloroso, no ambiente das inquietações e ilusões da Terra.

371. Devem ser intensificadas no Espiritismo as sessões de fenômenos mediúnicos?

— São muito poucos, ainda, os núcleos espíritas que se podem entregar à prática mediúnica com plena consciência do serviço que têm em mãos; motivo por que é aconselhável a intensificação das reuniões de leitura, meditação e comentário geral para as ilações morais imprescindíveis no aparelhamento doutrinário, a fim de que numerosos centros bem-intencionados não venham a cair no desânimo ou na incompreensão, por causa de um prematuro comércio com as energias do plano invisível.

3.4.3 Prática

372. Como deveremos entender a sessão espírita?

— A sessão espírita deveria ser, em toda parte, uma cópia fiel do cenáculo fraterno, simples e humilde do Tiberíades, onde o Evangelho do Senhor fosse refletido em espírito e verdade, sem qualquer convenção do mundo, de modo que, entrelaçados todos os pensamentos na mesma finalidade amorosa e sincera, pudesse a assembleia constituir aquela reunião de dois ou mais corações, em nome do Cristo, onde o esforço dos discípulos será sempre santificado pela presença do seu amor.

373. Como deve ser conduzida uma sessão espírita, de sua abertura ao encerramento?

— Nesse sentido, há que considerar a excelência da Codificação Kardequiana; contudo, será sempre útil a lembrança de que as reuniões doutrinárias devem observar o máximo de simplicidade, como as assembleias humildes e sinceras do Cristianismo primitivo, abstendo-se de qualquer expressão que apele mais para os sentidos materiais que para a alma profunda, a grande esquecida de todos os tempos da humanidade.

374. Nas sessões, os dirigentes e os médiuns têm uma tarefa definida e diferente entre si?

— Nas reuniões doutrinárias, o papel do orientador e o do instrumento mediúnico devem estar sempre identificados na mesma expressão de fraternidade e de amor, acima de tudo; mas, existem características a assinalar, para que os serviços espirituais produzam os mais elevados efeitos, salientando-se que os dirigentes das sessões devem ser o raciocínio e a lógica, enquanto o médium deve representar a fonte de água pura do sentimento. É por isso que, nas reuniões onde os orientadores não cogitam da lógica e onde os médiuns não possuem fé e desprendimento, a boa tarefa é impossível, porque a confusão natural estabelecerá a esterilidade no campo dos corações.

375. Os agrupamentos espíritas podem ser organizados sem a contribuição dos médiuns?

— Nas reuniões doutrinárias, os médiuns são úteis, mas não indispensáveis, porque somos obrigados a ponderar que todos os homens são médiuns, ainda mesmo sem tarefas definidas, nesse particular, podendo cada qual sentir e interpretar, no plano intuitivo, a palavra amorosa e sábia de seus guias espirituais, no imo da consciência.

376. Será aconselhável a determinação de dias da semana para a realização normal das sessões espíritas?

— Qualquer dia e hora podem ser consagrados ao bom trabalho da fraternidade e do bem, sempre que necessário; mas, nas reuniões dedicadas ao esforço doutrinário, faz-se imprescindível a metodização de todos os trabalhos em dias e horas prefixados.

377. Há estudiosos da Doutrina que se afastam das reuniões, quando as mesmas não apresentam fenômenos. Como se deve proceder para com eles?

— Os que assim procedem testemunham, por si mesmos, plena inabilitação para o verdadeiro trabalho do Espiritismo sincero. Se preferem as emoções transitórias dos nervos ao serviço da autoiluminação, é melhor que se afastem temporariamente dos estudos sérios da Doutrina, antes de assumirem qualquer compromisso. A compreensão do Espiritismo ainda não está bastante desenvolvida em seu mundo interior, e é justo que prossigam em experiências para alcançá-la.

O êxito dos esforços do plano espiritual, em favor do Cristianismo Redivivo, não depende da quantidade de homens que o busquem, mas da qualidade dos trabalhadores que militam em suas fileiras.

378. Por que motivo a doutrinação e a evangelização nas reuniões espíritas beneficiam igualmente os desencarnados, se a estes seria mais justo o aproveitamento das lições recebidas no plano espiritual?

— Grande número de almas desencarnadas nas ilusões da vida física, guardadas quase que integralmente no íntimo, conservam-se, por algum tempo, incapazes de apreender as vibrações do plano espiritual superior, sendo conduzidas por seus guias e amigos redimidos às reuniões fraternas do Espiritismo evangélico, onde, sob as vistas amoráveis desses mesmos mentores do plano invisível, se processam os dispositivos da lei de cooperação e benefícios mútuos, que rege os fenômenos da vida nos dois planos.

379. Como deverá agir o estudioso para identificar as entidades que se comunicam?

— Os Espíritos que se revelam, por meio das organizações mediúnicas, devem ser identificados por suas ideias e pela essência espiritual de suas palavras.

Determinados médiuns, com tarefa especializada, podem ser auxiliares preciosos à identificação pessoal, seja no fenômeno literário, nas equações da Ciência, ou satisfazendo a certos requisitos da investigação; todavia, essa não é a regra geral, salientando-se que as entidades espirituais, muitas vezes, não encontram senão um material deficiente que as obriga tão só ao indispensável, no que se refere à comunicação.

Devemos entender, contudo, que a linguagem do Espírito é universal, pelos fios invisíveis do pensamento, o que, aliás, não invalida a necessidade de um estudo atento acerca de todas as ideias lançadas nas mensagens medianímicas, guardando-se muito cuidado no capítulo dos nomes ilustres que porventura as subscrevam.

Nas manifestações de toda natureza, porém, o crente ou o estudioso do problema da identificação não pode dispensar aquele sentido espiritual de observação que lhe falará sempre no imo da consciência.

380. É justo que o espírita, depois de sofrer pela morte a separação de um ente amado, provoque a comunicação dele nas sessões medianímicas?

— O espírita sincero deve buscar o conforto moral, em tais casos, na própria fé que lhe deve edificar intimamente o coração.

Não é justo provocar ou forçar a comunicação com esse ou aquele desencarnado. Além de não conhecerdes as possibilidades de sua nova condição na esfera espiritual, deveis atender ao problema dos vossos méritos.

O homem pode desejar isso ou aquilo, mas há uma Providência que dispõe no assunto, examinando o mérito de quem pede e a utilidade da concessão.

Qualquer comunicado com o Invisível deve ser espontâneo, e o espírita cristão deve encontrar na sua fé o mais alto recurso de cessação do egoísmo humano, ponderando quanto à necessidade de repouso daqueles a quem amou, e esperando a sua palavra direta, quando e como julguem os mentores espirituais conveniente e oportuno.

381. Muita gente procura o Espiritismo, queixando-se de perseguições do Invisível. Os que reclamam contra essas perturbações estão, de algum modo, abandonados de seus guias espirituais?

— A proteção da Providência divina estende-se a todas as criaturas.

A perseguição de entidades sofredoras e perturbadas justifica-se no quadro das provações redentoras, mas, os que reclamam contra o assédio das forças inferiores dos planos adstritos ao orbe terrestre, devem consultar o próprio coração antes de formularem as suas queixas, de modo a observar se o Espírito perturbador não está neles mesmos.

Há obsessores terríveis do homem, denominados *orgulho*, *vaidade*, *preguiça*, *avareza*, *ignorância* ou *má vontade*, e convém examinar se não se é vítima dessas energias perversoras que, muitas vezes, habitam o coração da criatura, enceguecendo-a para a compreensão da luz de Deus. Contra esses elementos destruidores faz-se preciso um novo gênero de preces, que se constitui de trabalho, fé, esforço e boa vontade.

3.5 MEDIUNIDADE

3.5.1 Desenvolvimento

382. Qual a verdadeira definição da mediunidade?

— A mediunidade é aquela luz que seria derramada sobre toda carne e prometida pelo divino Mestre aos tempos do Consolador, atualmente em curso na Terra.

A missão mediúnica, se tem os seus percalços e as suas lutas dolorosas, é uma das mais belas oportunidades de progresso e de redenção concedidas por Deus aos seus filhos misérrimos.

Sendo luz que brilha na carne, a mediunidade é atributo do Espírito, patrimônio da alma imortal, elemento renovador da posição moral da criatura terrena, enriquecendo todos os seus valores no capítulo da virtude e da inteligência, sempre que se encontre ligada aos princípios evangélicos na sua trajetória pela face do mundo.

383. É justo considerarmos todos os homens como médiuns?

— Todos os homens têm o seu grau de mediunidade, nas mais variadas posições evolutivas, e esse atributo do Espírito representa, ainda, a alvorada de novas percepções para o homem do futuro, quando, pelo avanço da mentalidade do mundo, as criaturas humanas verão alargar-se a janela acanhada dos seus cinco sentidos.

Na atualidade, porém, temos de reconhecer que no campo imenso das potencialidades psíquicas do homem existem os médiuns com tarefa definida, precursores das novas aquisições humanas. É certo que essas tarefas reclamam sacrifícios e se constituem, muitas vezes, de provações ásperas; todavia, se o operário busca a substância evangélica para a execução de seus deveres, é ele o trabalhador que faz jus ao acréscimo de misericórdia prometido pelo Mestre a todos os discípulos de boa vontade.

384. Dever-se-á provocar o desenvolvimento da mediunidade?

— Ninguém deverá forçar o desenvolvimento dessa ou daquela faculdade, porque, nesse terreno, toda a espontaneidade é necessária; observando-se, contudo, a floração mediúnica espontânea, nas expressões mais simples, deve-se aceitar o evento com as melhores disposições de trabalho e boa vontade, seja essa possibilidade psíquica a mais humilde de todas.

A mediunidade não deve ser fruto de precipitação nesse ou naquele setor da atividade doutrinária, porquanto, em tal assunto, toda a espontaneidade é indispensável, considerando-se que as tarefas mediúnicas são dirigidas pelos mentores do plano espiritual.

385. A mulher ou o homem, em particular, possuem disposições especiais para o desenvolvimento mediúnico?

— No capítulo do mediunismo não existem propriamente privilégios para os que se encontram em determinada situação; porém, vence nos seus labores quem detiver a maior porcentagem de sentimento. E a mulher, pela evolução de sua sensibilidade em todos os climas e situações, através dos tempos, está, na atualidade, em esfera superior à do homem, para interpretar, com mais precisão e sentido de beleza, as mensagens dos planos invisíveis.

386. Qual a mediunidade mais preciosa para o bom serviço à Doutrina?

— Não existe uma mediunidade mais preciosa que a outra.

Qualquer uma é campo aberto às mais belas realizações espirituais, sendo justo que o médium, com a tarefa definida, se encha de espírito missionário, com dedicação sincera e fraternidade pura, para que o seu mandato não seja traído na improdutividade.

387. Qual a maior necessidade do médium?

— A primeira necessidade do médium é evangelizar-se a si mesmo antes de se entregar às grandes tarefas doutrinárias, pois, de outro modo poderá esbarrar sempre com o fantasma do personalismo, em detrimento de sua missão.

388. Nos trabalhos mediúnicos temos de considerar, igualmente, os imperativos da especialização?

— O homem do mundo, no círculo de obrigações que lhe competem na vida, deverá sair da generalidade para produzir o útil e o agradável, na esfera de suas possibilidades individuais.

Em mediunidade, devemos submeter-nos aos mesmos princípios. O homem enciclopédico, em faculdade, ainda não apareceu, senão em gérmen, nas organizações geniais que raramente surgem na Terra, e temos de considerar que a mediunidade somente agora começa a aparecer no conjunto de atributos do homem transcendente.

A especialização na tarefa mediúnica é mais que necessária e somente de sua compreensão poderá nascer a harmonia na grande obra de vulgarização da verdade a realizar.

389. A mediunidade pode ser retirada em determinadas circunstâncias da vida?

— Os atributos medianímicos são como os talentos do Evangelho. Se o patrimônio divino é desviado de seus fins, o mau servo torna-se indigno da confiança do Senhor da seara da verdade e do amor. Multiplicados no bem, os talentos mediúnicos crescerão para Jesus, sob as bênçãos divinas; todavia, se sofrem o insulto do egoísmo, do orgulho, da vaidade ou da exploração inferior, podem deixar o intermediário do invisível entre as sombras pesadas do estacionamento, nas mais dolorosas perspectivas de expiação, em vista do acréscimo de seus débitos irrefletidos.

390. É justo que um médium confie em si mesmo para a provocação de fenômenos, organizando trabalhos especiais com o fim de converter os descrentes?

— Onde o médium em tão elevada condição de pureza e merecimento, para contar com as suas próprias forças na produção desse ou daquele fenômeno? Ninguém vale, na Terra, senão pela expressão da Misericórdia divina que o acompanha, e a sabedoria do plano superior conhece minuciosamente as necessidades e méritos de cada um. A tentativa de tais trabalhos é um erro grave. Um fenômeno não edifica a fé sincera, somente conseguida pelo esforço e boa vontade pessoal na meditação e no trabalho interior. Os descrentes chegarão à Verdade, algum dia, e a Verdade é Jesus. Anteciparmo-nos à ação do Mestre não seria testemunho de confusão? Organizar sessões medianímicas com o objetivo de arrebanhar prosélitos é agir com demasiada leviandade. O que é santo e divino ficaria exposto aos julgamentos precipitados dos mais ignorantes e ao assalto destruidor dos mais perversos, como se a Verdade de Jesus fosse objeto de espetáculos, nos picadeiros de um circo.

391. Os irracionais possuem mediunidade?

— Os irracionais não possuem faculdades mediúnicas propriamente ditas. Contudo, têm percepções psíquicas embrionárias, condizentes ao seu estado evolutivo, através das quais podem indicar as entidades deliberadamente perturbadoras, com fins inferiores, para estabelecer a perplexidade naqueles que os acompanham, em determinadas circunstâncias.

3.5.2 Preparação

392. Pode contar um médium, de maneira absoluta, com os seus guias espirituais, dispensando os estudos?

— Os mentores de um médium, por mais dedicados e evolvidos, não lhe poderão tolher a vontade e nem lhe afastar o coração das lutas indispensáveis da vida, em cujos benefícios todos os homens resgatam o passado delituoso e obscuro, conquistando méritos novos.

O médium tem obrigação de estudar muito, observar intensamente e trabalhar em todos os instantes pela sua própria iluminação. Somente desse modo poderá habilitar-se para o desempenho da tarefa que lhe foi confiada, cooperando eficazmente com os Espíritos sinceros e devotados ao bem e à verdade.

Se um médium espera muito dos seus guias, é lícito que os seus mentores espirituais muito esperem do seu esforço. E como todo progresso humano, para ser continuado, não pode prescindir de suas bases já edificadas no espaço e no tempo, o médium deve entregar-se ao estudo, sempre que possível, criando o hábito de conviver com o Espírito luminoso e benéfico dos instrutores da humanidade, sob a égide de Jesus, sempre vivos no mundo, por meio dos seus livros e da sua exemplificação.

O costume de tudo aguardar de um guia pode transformar-se em vício detestável, infirmando as possibilidades mais preciosas da alma. Chegando-se a esse desvirtuamento, atinge-se o declive das mistificações e das extravagâncias doutrinárias, tornando-se o médium preguiçoso e leviano responsável pelo desvio de sua tarefa sagrada.

393. Como entender a obsessão? É prova inevitável, ou acidente que se possa afastar facilmente, anulando-lhe os efeitos?

— A obsessão é sempre uma prova, nunca um acontecimento eventual. No seu exame, contudo, precisamos considerar os méritos da vítima e a dispensa da Misericórdia divina a todos os que sofrem.

Para atenuar ou afastar os seus efeitos, é imprescindível o sentimento do amor universal no coração daquele que fala em nome de Jesus. Não bastarão as fórmulas doutrinárias. É indispensável a dedicação, pela fraternidade mais pura. Os que se entregam à tarefa da cura das obsessões precisam ponderar, antes de tudo, a necessidade de iluminação interior do médium perturbado, porquanto na sua educação espiritual reside a própria cura. Se a execução desse esforço não se efetua, tende cuidado, porque, então, os efeitos serão extensivos a todos os centros de força orgânica e psíquica. O obsidiado que entrega o corpo, sem resistência moral, às entidades ignorantes e perturbadas, é como o artista que entregasse seu violino precioso a um malfeitor, o qual, um dia, poderá renunciar à posse do instrumento que lhe não pertence, deixando-o esfacelado, sem que o legítimo, mas imprevidente dono, possa utilizá-lo nas finalidades sagradas da vida.

394. Será sempre útil, para a cura de um obsidiado, a doutrinação do Espírito perturbado, por parte de um espírita convicto?

— A cooperação do companheiro vale muito e faz sempre grande bem, principalmente ao desencarnado; mas a cura completa do médium não depende tão só desse recurso, porque, se é fácil, às vezes, o esclarecimento da entidade infeliz e sofredora, a doutrinação do encarnado é a mais difícil de todas, visto requisitar os valores do seu sentimento e da sua boa vontade, sem o que a cura psíquica se torna inexequível.

395. Pode a obsessão transformar-se em loucura?

— Qualquer obsessão pode transformar-se em loucura, não só quando a lei das provações assim o exige, como também na hipótese de o obsidiado entregar-se voluntariamente ao assédio das forças nocivas que o cercam, preferindo esse gênero de experiências.

396. Tratando-se da necessidade de preparação para a tarefa mediúnica, é justo acreditarmos na movimentação de fluidos maléficos em prejuízo do próximo?

— É o caso de vos perguntarmos se não haveis movimentado as energias maléficas, no decurso da vida, contra a vossa própria felicidade.

Num orbe como a Terra, onde a porcentagem de forças inferiores supera quase que esmagadoramente os valores legítimos do bem, a movimentação de fluidos maléficos é mais que natural; no entanto, urge ensinar aos que operam, nesse campo de maldade, que os seus esforços efetuam a semeadura infeliz, cujos espinhos, mais tarde, se voltarão contra eles próprios, em amargurados choques de retorno, fazendo-se mister, igualmente, educar as vítimas de hoje na verdadeira fé em Jesus, de modo a compreenderem o problema dos méritos na tarefa do mundo.

A aflição do presente pode ser um bem a expressar-se em conquistas preciosas no futuro, e, se Deus permite a influência dessas energias inferiores, em determinadas fases da existência terrestre, é que a medida tem sua finalidade profunda, ao serviço divino da regeneração individual.

397. Por que razão alguns médiuns parecem sofrer com os fenômenos da incorporação, enquanto outros manifestam o mesmo fenômeno, naturalmente?

— Nas expressões de mediunismo existem características inerentes a cada intermediário entre os homens e os desencarnados; entretanto, a falta de naturalidade do aparelho mediúnico, no instante de exercer suas faculdades, é quase sempre resultante da falta de educação psíquica.

398. É natural que, em plenas reuniões de estudo, os médiuns se deixem influenciar por entidades perturbadoras que costumam quebrar o ritmo de proveitosos e sinceros trabalhos de educação?

— Tal interferência não é natural e deve ser muito estranhável para todos os estudiosos de boa vontade.

Se o médium que se entregou à atuação nociva é insciente dos seus deveres à luz dos ensinamentos doutrinários, trata-se de um obsidiado que requer o máximo de contribuição fraterna; mas, se o acontecimento se verifica por meio de companheiro portador do conhecimento exato de suas obrigações, no círculo de atividades da Doutrina, é justo responsabilizá-lo pela perturbação, porque o fato, então, será oriundo da sua invigilância e imprevidência, em relação aos deveres sagrados que competem a cada um de nós, no esforço do bem e da verdade.

399. Quando a opinião irônica ou insultuosa ataca uma expressão da verdade, no campo mediúnico, é justo buscarmos o apoio dos Espíritos amigos para revidar?

— Vossa inquietação no mundo costuma conduzir-vos a muitos despautérios.
Semelhante solicitação aos desencarnados seria um deles. Os valores de um campo mediúnico triunfam por si mesmos, pela essência de amor e de verdade, de consolação e de luz que contenham, e seria injustificável convocar os Espíritos para discutir com os homens, quando já se demasiam as polêmicas dos estudiosos humanos entre si.

Além do mais, os que não aceitam a palavra sincera e fraternal dos mensageiros do plano superior terão, igualmente, de buscar o túmulo algum dia, e é inútil perder tempo com palavras, quando temos tanto o que fazer no ambiente de nossas próprias edificações.

400. Poderá admitir-se que um médium se socorra de outro médium para obter o amparo dos seus amigos espirituais?

— É justo que um amigo se valha da estima fraternal de um companheiro de crença, para assuntos de confiança íntima e recíproca, mas, na função mediúnica, o portador dessa ou daquela faculdade deve buscar em seu próprio valor o elemento de ligação com os seus mentores do plano invisível, sendo contraproducente procurar o amparo, nesse particular, fora das suas próprias possibilidades, porque, de outro modo, seria repousar numa fé alheia, quando a fé precisa partir do íntimo de cada um, no mecanismo da vida.

Além do mais, cada médium possui a sua esfera de ação no ambiente que lhe foi assinalado. Abandonar a própria confiança para valer-se de outrem, seria sobrecarregar os ombros de um companheiro de luta, esquecendo a cruz redentora que cada Espírito encarnado deverá carregar em busca da claridade divina.

401. A mistificação sofrida por um médium significa ausência de amparo dos mentores do plano espiritual?

— A mistificação experimentada por um médium traz, sempre, uma finalidade útil, que é a de afastá-lo do amor-próprio, da preguiça no estudo de suas necessidades próprias, da vaidade pessoal ou dos excessos de confiança em si mesmo.

Os fatos de mistificação não ocorrem à revelia dos seus mentores mais elevados, que, somente assim, o conduzem à vigilância precisa e às realizações da humildade e da prudência no seu mundo subjetivo.

3.5.3 Apostolado

402. Seria justo aceitar remuneração financeira no exercício da mediunidade?

— Quando um médium se resolva a transformar suas faculdades em fonte de renda material, será melhor esquecer suas possibilidades psíquicas e não se aventurar pelo terreno delicado dos estudos espirituais.

A remuneração financeira, no trato das questões profundas da alma, estabelece um comércio criminoso, do qual o médium deverá esperar no futuro os resgates mais dolorosos. A mediunidade não é ofício do mundo, e os Espíritos esclarecidos, na verdade e no bem, conhecem, mais que os seus irmãos da carne, as necessidades dos seus intermediários.

403. É razoável que os médiuns cogitem da solução de assuntos materiais junto dos seus mentores do plano invisível?

— Não se deve esquecer que o campo de atividades materiais é a escola sagrada dos Espíritos incorporados no orbe terrestre. Se não é possível aos amigos espirituais quebrarem a lei de liberdade própria de seus irmãos, não é lícito que o médium cogite da solução de problemas materiais junto dos Espíritos amigos. O mundo é o caminho no qual a alma deve provar a experiência, testemunhar a fé, desenvolver as tendências superiores, conhecer o bem, aprender o melhor, enriquecer os dotes individuais.

O médium que se arrisca a desviar suas faculdades psíquicas, para o terreno da materialidade do mundo, está em marcha para as manifestações grosseiras dos planos inferiores, onde poderá contrair os débitos mais penosos.

404. Deve o médium sacrificar o cumprimento de suas obrigações no trabalho cotidiano e no ambiente sagrado da família, em favor da propaganda doutrinária?

— O médium somente deve dar aos serviços da Doutrina a cota de tempo de que possa dispor, entre os labores sagrados do pão de cada dia e o cumprimento dos seus elevados deveres familiares.

A execução dessas obrigações é sagrada e urge não cair no declive das situações parasitárias, ou do fanatismo religioso.

No trabalho da verdade, Jesus caminha antes de qualquer esforço humano e ninguém deve guardar a pretensão de converter alguém, quando nas tarefas do mundo há sempre oportunidade para o preciso conhecimento de si mesmo.

Que médium algum se engane em tais perspectivas. Antes sofrer a incompreensão dos companheiros, que transigir com os princípios, caindo na irresponsabilidade ou nas penosas dívidas de consciência.

405. Poder-se-á admitir que os espíritas se valham de um apostolado mediúnico, para solução de todas as dificuldades da vida?

— O médium não deve ser sobrecarregado com exigências de seus companheiros, relativamente às dificuldades da sorte. É justo que seus irmãos se socorram das suas faculdades, em circunstâncias excepcionais da existência, como nos casos de enfermidade e outros que se lhe assemelhem. Todavia, cercar um médium de solicitações de toda natureza é desvirtuar a tarefa de um amigo, eliminando as suas possibilidades mais preciosas e, além do mais, não se deverá repetir no Espiritismo sincero a atitude mental dos católico-romanos, que se abandonam junto à "imagem" de um "santo", olvidando todos os valores do esforço próprio.

Os núcleos espíritas precisam considerar que em seus trabalhos há quem os acompanhe do plano superior e que receberão sempre o concurso espiritual de seus irmãos libertos da carne, dependendo a satisfação desse ou daquele problema particular dos méritos de cada um. Proceder em contrário, é eliminar o aparelho mediúnico, fornecendo doloroso testemunho de incompreensão.

406. Quando um investigador busque valer-se dos serviços de um médium, é justo que submeta o aparelho medianímico a toda sorte de experiência, a fim de certificar-se dos seus pontos de vista?

— Depende do caráter dessas mesmas experiências e, quaisquer que elas sejam, o médium necessita de muito cuidado, porquanto, no caminho das aquisições espirituais, cada investigador encontra o material que procura. E quem se aproxima de uma fonte espiritual, tisnando-a com a má-fé e a insinceridade, não pode, por certo, saciar a sede com uma água pura.

407. Para que alguém se certifique da verdade do Espiritismo, bastará recorrer a um bom médium?

— Os estudiosos do Espiritismo, ainda sem convicção valorosa e séria no terreno da fé, precisam reconhecer que em trabalhos dessa ordem não basta o recurso de um bom médium. O medianeiro não fará milagres dentro da natureza. Faz-se mister que o investigador, a par de uma curiosidade sadia, possua valores morais imprescindíveis, como a sinceridade e o amor do bem, servindo a uma existência reta e fértil de ações puras.

408. Seria proveitosa a criação de associações de auxílio material aos médiuns?

— No Espiritismo é sempre de bom aviso evitar-se a consecução de iniciativas tendentes a estabelecer uma nova classe sacerdotal no mundo. Os médiuns, nesse ou naquele setor da sociedade humana, devem o mesmo tributo ao trabalho, à luta e ao sofrimento, indispensáveis à conquista do agasalho e do pão material. Ademais, temos de considerar, acima de toda proteção precária do mundo, o amparo de Jesus aos seus trabalhadores de boa vontade. Toda expressão de sacrifício sincero está eivada de Luz divina, todo trabalho sincero é elevação e toda dor é luz, quando suportada com serenidade e confiança no Mestre dos mestres.

409. Como deverá proceder o médium sincero para a valorização do seu apostolado?

— O médium sincero necessita compreender que, antes de cogitar da doutrinação dos Espíritos, ou de seus companheiros de luta na Terra, faz-se mister a iluminação de si próprio pelo conhecimento, pelo cumprimento dos deveres mais elevados e pelo esforço de si mesmo na assimilação perfeita dos princípios doutrinários.

No desdobramento dessa tarefa, jamais deve descuidar-se da vigilância, buscando aproveitar as possibilidades que Jesus lhe concedeu na edificação do trabalho estável e útil. Não deve cultivar o sofrimento pelas queixas descabidas e demasiadas e nem recorrer, a todo instante, à assistência dos seus guias, como se perseverasse em manter uma atitude de criança inexperiente. O estudo da Doutrina e, sobretudo, o cultivo da autoevangelização devem ser ininterruptos. O médium sincero sabe vigiar, fugindo da exploração material ou sentimental, compreendendo, em todas as ocasiões, que o mais necessitado de misericórdia é ele próprio, a fim de dar pleno testemunho do seu apostolado.

410. Onde o maior escolho do apostolado mediúnico?

— O primeiro inimigo do médium reside dentro dele mesmo. Frequentemente é o personalismo, é a ambição, a ignorância ou a rebeldia no voluntário desconhecimento dos seus deveres à luz do Evangelho, fatores de inferioridade moral que, não raro, o conduzem à invigilância, à leviandade e à confusão dos campos improdutivos.

Contra esse inimigo é preciso movimentar as energias íntimas pelo estudo, pelo cultivo da humildade, pela boa vontade, com o melhor esforço de autoeducação, à claridade do Evangelho.

O segundo inimigo mais poderoso do apostolado mediúnico não reside no campo das atividades contrárias à expansão da Doutrina, mas no próprio seio das organizações espíritas, constituindo-se daquele que se convenceu quanto aos fenômenos, sem se converter ao Evangelho pelo coração, trazendo para as fileiras do Consolador os seus caprichos pessoais, as suas paixões inferiores, tendências nocivas, opiniões cristalizadas no endurecimento do coração, sem reconhecer a realidade de suas deficiências e a exiguidade dos seus cabedais íntimos. Habituados ao estacionamento, esses irmãos infelizes desdenham o esforço próprio — única estrada de edificação definitiva e sincera — para recorrerem aos Espíritos amigos nas menores dificuldades da vida, como se o apostolado mediúnico fosse uma cadeira de cartomante. Incapazes do trabalho interior pela edificação própria na fé e na confiança em Deus, dizem-se necessitados de conforto. Se desatendidos em seus caprichos inferiores e nas suas questões pessoais, estão sempre prontos para acusar e escarnecer. Falam da caridade, humilhando todos os princípios fraternos; não conhecem outro interesse além do que lhes lastreia o seu próprio egoísmo. São irônicos, acusadores e procedem quase sempre como crianças levianas e inquietas. Esses são também aqueles elementos da confusão, que não penetram o templo de Jesus e nem permitem a entrada de seus irmãos.

Esse gênero de inimigos do apostolado mediúnico é muito comum e insistente nos seus processos de insinuação, sendo indispensável que o missionário do bem e da luz se resguarde na prece e na vigilância. E como a verdade deve sempre surgir no instante oportuno, para que o campo do apostolado não se esterilize, faz-se imprescindível fugir deles.

411. Onde a luz definitiva para a vitória do apostolado mediúnico?

— Essa claridade divina está no Evangelho de Jesus, com o qual o missionário deve estar plenamente identificado para a realização sagrada da sua tarefa. O médium sem Evangelho pode fornecer as mais elevadas informações ao quadro das filosofias e ciências fragmentárias da Terra; pode ser um profissional de nomeada, um agente de experiências do invisível, mas não poderá ser um apóstolo pelo coração. Só a aplicação com o divino Mestre prepara no íntimo do trabalhador a fibra da iluminação para o amor, e da resistência contra as energias destruidoras, porque o médium evangelizado sabe cultivar a humildade no amor ao trabalho de cada dia, na tolerância esclarecida, no esforço educativo de si mesmo, na significação da vida, sabendo, igualmente, levantar-se para a defesa da sua tarefa de amor, defendendo a verdade sem transigir com os princípios no momento oportuno.

O apostolado mediúnico, portanto, não se constitui tão somente da movimentação das energias psíquicas em suas expressões fenomênicas e mecânicas, porque exige o trabalho e o sacrifício do coração, onde a luz da comprovação e da referência é a que nasce do entendimento e da aplicação com Jesus Cristo.

NOTA À PRIMEIRA EDIÇÃO

Em *O livro dos espíritos*, de Allan Kardec, a teoria das *almas gêmeas*, ou *metades eternas*, se encontra assim exposta:

P. – 298. As almas que se devem unir são, desde a sua origem, predestinadas a essa união? Tem cada um de nós, em algum ponto do universo, a sua metade a que um dia haja fatalmente de unir-se?

R. – Não; não existe união particular e fatal entre duas almas. A união existe entre todos os Espíritos, mas em graus diferentes, segundo a posição que ocupam, isto é, segundo a perfeição que adquiriram. Quanto mais perfeitos, mais unidos. Da discórdia nascem todos os males da humanidade e da concórdia resulta a felicidade completa.

Depois, resumindo o ensino que se desenvolve das questões 291 a 303-a, o codificador o ilustra com o seguinte comentário pessoal:

> A teoria das metades eternas é uma figura da união de dois Espíritos simpáticos; é uma expressão usada mesmo na linguagem vulgar, por isso não devemos tomá-la

ao pé da letra. Seguramente, os Espíritos que a têm utilizado não pertencem a uma ordem elevada, a esfera de suas ideais é necessariamente limitada e eles exprimiram o pensamento pelos termos de que se tinham servido durante a vida corporal. Deve-se, pois, rejeitar a ideia de dois Espíritos criados um para o outro e devendo um dia unir-se fatalmente para a eternidade, depois de terem estado separados por tempo mais ou menos longo.

Esta circunstância e a presunção, sempre cabível, de qualquer falha na captação mediúnica, tão sutil e delicada, nos levaram a formular ao médium, para que as submetesse ao seu preclaro mentor e autor deste livro, as seguintes objeções:

Esta teoria, ou hipótese, afigura-se-nos aqui algo obscura. Não satisfaz, e, da forma por que é apresentada, parece-nos ilógica e contraditória. De fato, essa criação original, dúplice, induz a concluir que as almas surgem incompletas. É ilação incompatível com a onisciência de Deus. Aliás, é ideia recusada por Allan Kardec, em *O livro dos espíritos*. A afinidade espiritual deve ser extensiva a todas as criaturas e, se esse sistema de gênese binária pudesse justificar-se, a comunhão universal jamais seria una e integral. Como contingência acidental, na trajetória dos seres decaídos, poder-se-ia talvez admitir, mas, ainda assim, em caráter transitório, condicional, nunca absoluto. De outra forma, parece-nos, seria um dualismo excepcional, barreira oposta à lei do amor, que deve abranger todas as criaturas de Deus em perfeita identidade de origem e de fins. De resto, o nosso grande amigo e lúcido Instrutor é presto no afirmar que Jesus escapa ou transcende à sua concepção. Ora, assente como postulado incontroverso, que há muitos Cristos, achamos nós que a teoria, ou sistema das *almas gêmeas*, deixa de ter cunho universal e desnecessário será equacioná-la.

Para nós, o problema se ajusta muito melhor ao instituto da família, como ensaio de comunhão dual, mas sempre condicional ou acidental e transitória, colimando a unificação coletiva com o Cristo, para Deus.

A estas considerações, dignou-se de responder o insigne e bondoso Emmanuel, com a seguinte mensagem:[3]

Meu amigo, Deus te abençoe o coração nas lutas materiais. Agradecendo o teu carinho fraterno, na colaboração amiga e sincera de sempre, peço a modificação do texto da questão nº 378, do novo trabalho, que deverá ser apresentado nos seguintes termos:

> Grande número de almas desencarnadas nas ilusões da vida física, guardadas quase que integralmente no íntimo, conservam-se, por algum tempo, incapazes de apreender as vibrações do plano espiritual superior, sendo conduzidas pelos seus guias e amigos redimidos às reuniões fraternas do Espiritismo evangélico, onde, sob as vistas amoráveis desses mesmos mentores do plano invisível, se processam os dispositivos da lei de

---

[3] N.E.: Logo no início, Emmanuel trata da pergunta nº 378, cuja resposta original havia sido questionada pela FEB, dando-lhe o autor espiritual nova redação. Só após é ventilada a questão das "almas gêmeas" (12ª edição).

cooperação e benefícios mútuos, que rege os fenômenos da vida nos dois planos.

Devo o pequeno equívoco observado, concedendo à matéria certos ascendentes que só pertencem ao Espírito, a perturbações do método de *filtragem mediúnica*, onde o nosso pensamento foi prejudicado.

Solicitando essa modificação, pediria a conservação, no texto, da humilde exposição relativa à tese das *almas gêmeas*, ainda que, em consciência, sejam os amigos da Casa de Ismael compelidos à apresentação de uma ressalva, em obediência à lealdade de respeitável ponto de vista. A tese, todavia, é mais complexa do que parece ao primeiro exame, e sugere mais vasta meditação às tendências do século, no capítulo do *divorcismo* e do *pansexualismo*, que a Ciência menos construtiva vem lançando nos espíritos, mesmo porque, com a expressão *almas gêmeas*, não desejamos dizer 'metades eternas', e ninguém, a rigor, pode estribar-se no enunciado para desistir de veneráveis compromissos assumidos na escola redentora do mundo, sob pena de aumentar os próprios débitos, com difíceis obrigações à frente da Lei. No caso do Cristo, devemos invocar toda a veneração para o trato de sua personalidade divina, motivo pelo qual apenas tratei do assunto com referência aos homens, para considerar que as uniões, em toda vida, são orientadas por ascendentes de amor mais profundos que aqueles entrosados nas humanas concepções, que se modificam na esteira evolutiva. Se possível, eis o que me permito solicitar, renovando ao querido irmão o meu agradecimento sincero e a minha afeição de todos os dias.

EMMANUEL

Aí têm os leitores a ressalva que visa conciliar a fidelidade do nosso programa integral com a veneração e reconhecimento, mais que merecidos, ao emérito e sábio cultor da *Seara cristã*, para que cada qual possa interpretar e decidir de foro íntimo, com aquela prerrogativa de liberdade que é apanágio maior da nossa Doutrina.

A EDITORA (FEB)

ÍNDICE GERAL[4]

A

Acaso
 espírita e – 186

Adversário
 reconciliação com – 337

Afinidade
 revelação da*pelos sentimentos puros – 178

Afinidade espiritual – nota à 1. ed.

Agonia prolongada
 finalidade da*para a alma – 106

Agricultor
 missão espiritual e – 92

Água
 caráter particular da*fluidificada – 103
 condições especiais para fluidificação da – 104

Alma
 asas da*para a perfeição infinita – 204, 260
 condição para aperfeiçoamento da – 213
 condição para aquisição de experiência e – 131
 conservação da saúde da – 97
 desencarnação e prosseguimento evolutivo da – 147
 desprendimento parcial e – 49
 educação da*e compreensão sagrada do sexo – 184
 Evangelho, edifício da redenção da – 282
 finalidade da agonia prolongada e – 106
 guia espiritual e afastamento da*do trabalho – 226
 identificação da missão da – 343
 iluminação própria e*desencarnada – 224
 influência da música nobre na – 167
 justificativa para a inquietude de valores da – 328

---
[4] N.E.: Remete ao número da questão.

Índice geral

lar, escola de preparação da – 110

manifestações das chagas da – 96

morte natural e – 152

morte violenta e – 152

nutrição e estado expiatório da – 13

queda da*pela ambição ou pelo egoísmo – 248

queda da*pelo orgulho e pela vaidade – 248

recolhimento da*no hospital para meditação – 101

reflexos da palavra de Jesus para a – 258

registro das experiências e – 118

retomada do patrimônio nocivo do pretérito e – 109

salvação e – 225

santificação e iluminação da*e sacrifício –188

significado da expressão toque da – 222

substituição da raça pela – 54

trabalho de iluminação da própria – 230

Almas gêmeas – nota à 1. ed.

amor das – 326

amor universal e união das – 326

Antigo Testamento e – 324, nota

Jesus e – 327

situação das*na Terra – 328

teoria das – 323

tração das – 325

Alucinação

origem da – 52

Ambição

ideologia sinistra da – 114

Amigo

emissário da ventura e da paz e – 174

Amizade

definição de – 174

Amor

abismo da morte e – 330

conversão do ódio em*e piedade – 158

esclarecimento fraterno e*ao próximo – 344

gradação do*nas manifestações da natureza – 322

grande maravilha do – 231

Jesus, síntese do*divino – 327

laço que reúne as almas nas alegrias da liberdade e – 158

lei própria da vida e – 322

ódio, gérmen do – 339

perdão, ensino do – 187

sexualidade, supersexualismo e – 322

Amor-próprio

traço do aperfeiçoamento espiritual e – 216

Amor sexual

progressividade da espiritualização e – 184

viciação do – 184

Índice geral

Animal
  chegada do*ao reino hominal e – 79
  finalidade superior da vida do – 128
  instinto e – 79
Anjo
  divindade e – 79
  significado da palavra – 277
Anticristo
  interpretação do – 291
Antigo Testamento
  ver também Velho Testamento
  teoria das almas gêmeas e – 324, nota
Antipatia
  morte da – 173
  raízes profundas da – 173
Aparelho estatal
  justificativa da necessidade do – 58
Aparição
  edificação das igrejas conhecidas e – 301
Apostolado mediúnico
  escolhos do – 410
  exigências do – 411
  luz definitiva para a vitória do – 411
Arrependimento
  boa vontade e – 333
  conceito de – 182
  etapa inicial da obra de redenção e – 244
  remorso e – 182
Arte
  conceito de – 161
  distanciamento da*legítima – 172
  influência da* nas entidades infelizes – 168
  manifestação da beleza eterna e – 172
  objeto de atenção dos Espíritos desencarnados e – 168
Arte antiga
  existência da – 172
Arte gráfica
  evolução da* na Terra – 206
Arte moderna
  existência da – 172
Artista
  convencionalismo da Terra e – 165
  dramas vividos pela própria individualidade e – 166
  excessos nocivos à liberdade e – 165
  médium das belezas eternas e – 161
  missionário de Deus e – 162
  psiquismo do – 165
  recordações de existências anteriores e – 166
  sentimento, percepções e – 165
  síntese profunda de vidas numerosas e – 163
Artista de gênio
  progresso moral e – 170

Índice geral

Árvore genealógica
    plano espiritual e – 34
Associação de ideias
    ver Complexo
Atitude mental
    esquecimento do mal e – 187
    êxito espiritual e – 187
Atmosfera do mundo
    azoto e – 13
    carbono e – 13
    entretenimento das células e – 13
    organização da – 13
    oxigênio e – 13
    ozônio e – 13
Átomo
    divisibilidade do – 17
    fase de caracterização da matéria e – 16
    revelações científicas sobre o – 16
Autodomínio
    iluminação da alma e – 230
Autoeducação
    amor a nós mesmos e – 351
    atrações sexuais e – 184
Autoevangelização
    firmeza, imperecibilidade e – 219
Autoiluminação
    obtenção da – 228
Autoridade
    caminho de experiências e provas e – 66

Avareza
    obsessor terrível do homem e – 381
Aversão
    perseverança dos elementos de * no plano espiritual – 158
Azoto
    luta do homem para obtenção do – 13

B

Batismo
    procedimento do espírita e – 298
Bem
    determinação divina e – 134
    determinismo de Deus e – 141
    felicidade e rememoração do – 341
    fórmula para a prática do – 100
Benzedura
    expressão humilde do passe regenerador e – 100
Bíblia
    símbolos para a educação religiosa do homem e – 275
Biologia
    Ciência da vida e – 2
    encarceramento nas escolas materialista e – 2
    enigmas e – 2
    Espírito, o Verbo divino e – 2
Boa ação
    característica da – 185

Índice geral

Botânica
   preocupação dos Espíritos e – 77

Bramanismo
   concepção de Deus e – 264, nota

Brio
   traço do aperfeiçoamento espiritual e – 216

C

Caçador
   razão de ser do – 62

Calvário
   dor material e – 287
   representação do – 286
   sofrimento moral e – 287

Canonização
   ambições humanas e – 84
   ruídos nocivos das falsas glórias e – 84

Capacidade espiritual
   processo para dilatação da – 119

Capela
   comparação do Sol com – 71

Capitalista
   entronização do*que enriquece sem escrúpulos – 212

Caráter
   educação moral e – 109
   traço do aperfeiçoamento espiritual e – 216

Carbono
   luta do homem para obtenção do – 13

Caridade
   espírita e*moral e material – 254

Carrasco
   tolerância ao – 62

Cartomancia
   Espiritismo e – 145
   fenômenos psíquicos e – 145

Casamento
   espíritas e consagração do – 299

Catolicismo
   organização de novidades teológicas e – 264

Célula
   atmosfera e entretenimento da – 13
   fenômeno da vida e*orgânica – 8
   protoplasma e – 6

Cérebro
   aparelho frágil e ineficiente e – 205
   funções do – 43

Céu
   homem e criação das belezas do – 227

Ciência abstrata
   cooperação da*nos postulados educativos – 69
   posição da*no quadro dos valores espirituais – 69

Ciência aplicada
   benefício material da humanidade e – 90

Índice geral

Ciência combinada
  surgimento da – 80
Ciência da vida
  posição da*em relação às demais – 2
Ciência especializada
  conquista do espírito humano e – 70
Ciência(s)
  cinco*fundamentais – 2
  convencionalismo e – 164
  Espiritismo e*terrestre – 1
  estabelecimento de bases convencionais e – 16
  inspirações dos planos superiores e – 91
  integração da Filosofia com a – 201
Ciúme
  condição para aniquilamento do – 183
  egoísmo e – 183
  interpretação do*no plano espiritual – 183
Civilização terrestre
  história da*nos planos espirituais – 81
Classe armada
  justificativa da necessidade da – 58
Colégio familiar
  finalidade do – 175
  integrantes do – 175
  origem do – 175

Cólera
  recordação dos primórdios da vida humana e – 181
Complexo
  causa do – 46
Confúcio
  profeta de Jesus e – 278
Conhecimento
  lentidão na solução do problema do*próprio – 233
  porta amiga que conduz aos raciocínios puros e – 230
Cônjuges
  obrigações divinas e – 188
  transviamento de um dos*no lar – 188
Consciência
  morte e estados miraculosos da – 147
  responsabilidade da*esclarecida – 134
  tribunal de autocrítica em*própria – 217
Consolador
  Espiritismo e*prometido por Jesus – 352
  missão do – 353
Cordeiro de Deus *ver* Jesus
Corpo físico
  corpo perispiritual e – 30
  ecos de sensibilidade entre o Espírito desencarnado e – 151

Índice geral

Espírito enfermo, origem do*doente – 96

Espíritos e desenvolvimento do embrião do – 29

heranças celulares e – 30

homem e tratamento da saúde do – 97

moléstias do*e ascendentes espirituais – 96

morte do*e extinção da vida – 154

Corpo espiritual ver também Corpo perispiritual

órgãos no – 30

Corpo perispiritual

ver também Corpo espiritual

corpo físico e – 30

Cremação

sofrimento do Espírito desencarnado e – 151

Crença

diferença entre iluminação e – 220

escolha da*antes da reencarnação – 296

Crente

busca da perfeição espiritual e – 123

Criação

fonte da*infinita e incessante – 11

Velho Testamento e os dias da – 266

Criador

ver Deus

Criança

fuga do abismo da liberdade e – 189

noções evangélicas e orientação da – 223

Crime

prova das tentações ao – 252

Crise moral

causa da*do mundo – 68

Cristão

esmola material e*sincero – 256

Cristianismo

seitas nascidas do – 294, 295

defecção do sacerdócio e – 200

Espiritismo e*redivivo – 210, 352

sistemas religiosos mais antigos e – 293

Cristo

ver Jesus

Culto religioso

transitoriedade e – 299

Cultura terrestre

diferença entre*e sabedoria do Espírito – 197

patrimônio da*no plano espiritual – 197

racionalismo e – 198

Cura

Jesus e*do Hanseniano – 101

lei das provações e – 101

médium obsidiado e – 394

Índice geral

obsessão e – 393

provação e processos de – 101

reencarnação e estação de tratamento e – 96

revelação dos processos de – 101

D

Decadência intelectual

prejuízo ao desequilíbrio do mundo e – 207

Desencarnação

determinação prévia dos casos de – 146

mudança de plano e – 147

preparação para – 147

prosseguimento na carreira evolutiva da alma e – 147

suicídio, mapa de provas e – 146

Desenvolvimento mediúnico

disposições especiais e – 385

Desequilíbrio mental

ver Loucura

Desigualdade social

reencarnação e – 55

Determinismo

animais, selvagens e – 136

característica e – 132

determinismo humano e*divino – 139

homem e organização do – 132

Lei do amor e*divino – 135

livre-arbítrio e – 132

modificação do*das condições materiais – 146

sujeição do homem ao erro e – 138

Deus

artista, missionário de – 161

bem e determinismo de – 141

Bramanismo e concepção de – 264, nota

concessão da graça e – 227

dispensador dos bens e – 351

dor, luta e experiência, concessões de – 253

extermínio das paixões e – 184

Física e lógica com – 18

Física e reconhecimento da existência de – 18

manifestação de – 17

mesmas oportunidades de trabalho e de habilitação e – 252

origem de toda coordenação e equilíbrio e – 18

paciência e heroísmo domésticos e fé em – 189

sacrifício nos altares materiais em nome de – 311

Deus fez o mundo do nada

interpretação da sentença – 265

Dez Mandamentos, Os

emissários de Jesus e – 269

Moisés e ditado dos – 269

seitas religiosas e – 268

Índice geral

Discernimento
  julgamento e – 63
Disciplina
  espontaneidade e – 253
Doença
  benefícios da*incurável – 101
  diminuição da dor na*incurável – 102
  egoísmo e*incurável – 101
  personalismo e*incurável – 101
  vaidade e*incurável – 101
Dogma
  ação do espírita em face do*religioso – 360
Doloroso acaso
  significado da expressão – 250
Dor
  aceitação da*com nobreza de sentimentos – 245
  considerações sobre a*física – 239
  considerações sobre a*moral – 239
  diminuição da*na doença incurável – 102
  necessidades próprias e – 252
  possibilidades desconhecidas e – 191
  redenção espiritual e auxílio da – 241
Dor-ilusão
  tormento físico e – 239
Dor-realidade
  sofrimento e – 239

Doutrina Espírita
  ver também Espiritismo
  afastamento dos estudiosos e – 377
  estudo, meditação, cultivo e aplicação da – 364
  missão da – 60
  propaganda da fé e conversão aos princípios da – 361
Doutrinação
  benefício da*para os Espíritos desencarnados – 378
Dúvida
  processo introspectivo e esclarecimento da – 195

E

Economia
  direção da – 114
Educação
  base para os métodos de – 108
  formação do caráter e*moral – 109
  maioridade e*no lar – 109
  processos tristes e violentos da*do mundo – 191
  renovação dos processos de – 112
  tolerância e energia no processo da – 189
Educação sexual
  condição para fundação de institutos para – 111
  pais, mestres da – 111
  satisfação dos instintos e – 184

Índice geral

Egoísmo
 ciúme e – 183
 fé e cessão do*humano – 380
 ideologia sinistra do – 114

Eixo imaginário
 demonstração do sistema do mundo e – 18

Eleito
 definição de – 277
 Jesus e – 277
 mensageiro e – 277

Elétron
 fase de caracterização da matéria e – 16
 revelações científicas sobre o – 16

Emmanuel, Espírito – nota à 1. ed., nota

Embrião humano
 início da reencarnação e manifestações do – 31
 interpenetração de fluidos e – 32
 recapitulação das etapas evolutivas do – 33
 sinais de nascença e – 32

Emotividade
 disciplinamento da*pela fé – 169

Energia
 fonte de – 10
 origem da*psíquica – 98
 retorno da*ao éter universal – 17

Engenheiro
 amparo das forças espirituais e – 93

Escândalo
 necessidade do – 307

Escritor
 entronização do*que engana o público – 212
 julgamento do*pelos efeitos produzidos – 209

Esmola
 cristão sincero e*material – 256
 interpretação da*material – 256

Espectroscópio
 compreensão das revelações do – 22

Esperança
 filha dileta da fé e – 257

Espírita
 ação do*em face dos dogmas religiosos – 360
 acaso e – 186
 assuntos do Espiritismo em conversações comuns e – 367
 batismo e procedimento do – 298
 caridade e – 254
 casamento e – 299
 comportamento do*ante a crítica – 365
 comportamento do*e política do mundo – 60
 dever que compete ao – 362

Índice geral

estudo, meditação, cultivo e aplicação da Doutrina e – 364

extravagâncias doutrinárias e – 366

obrigação primordial do*sincero – 220

perturbações do*depois da morte – 150

política do mundo e situação de evidência do – 60

serviço de cristianização das consciências e – 255

utilidade do hospital – 107

Espiritismo

anormalidades psicológicas e – 44

antídoto dos venenos sociais e – 59

aproximação entre Psicologia e – 45

atitude mental dos católico-romanos e – 405

cartomancia e – 145

certificação da verdade do – 407

Ciência terrestre e – 1

Consolador prometido por Jesus e – 352

Cristianismo redivivo e – 210, 352

disputa no banquete dos Estados e – 361

especialização da tarefa mediúnica e – 388

ideia de evolução e verdades do – 41

iniciador da Sociologia e – 59

intensificação das sessões de fenômenos mediúnicos e – 371

missão divina do – 361

necessidade imediata do – 218

nova classe sacerdotal e – 408

obra definitiva do – 219

papel especial do*junto da Sociologia – 59

profunda finalidade do – 110

proselitismo e – 218

restauração da verdade evangélica e – 219

Santíssima Trindade e – 264

subconsciência e – 45

substituição de outras crenças e – 353

tarefa da Verdade e – 271

trabalhadores do*e intelectuais – 210

valores legítimos da criatura e – 59

Espírito(s)

adaptação do*às condições fluídicas – 75

atuação dos*na flora microbiana – 102

Biologia e – 2

características evolutivas dos*na Terra – 243

desenvolvimento do embrião do corpo e – 29

diferença entre cultura terrestre e sabedoria do– 197

direito de análise para todos os – 63

escolha da crença antes da reencarnação e – 296

Índice geral

Filosofia, súmula das atividades evolutivas do – 115

identificação do*comunicante – 379

iluminação,engrandecimento e remissão do –210

influência do meio ambiente no – 120

Jesus, finalidade dos gloriosos destinos do – 327

leis da fraternidade e missão do – 343

linguagem universal do – 379

mediunidade, atributo do – 382

mentira e desenvolvimento dos – 192

paixão, sagrado liame do – 34

preocupação dos*com a Botânica – 77

queda do – 248, 249

recapitulação das etapas evolutivas do – 33

reencarnação, quebra-luz sobre as conquistas anteriores do – 205

satisfação dos*pela possibilidade de comunicação – 156

sede da inteligência humana e*imortal – 48

tempo e oportunidade para edificação do – 14

Verbo divino e – 2

vibrações gravadas na memória e – 126

Espírito desencarnado

característica do*nas proximidade da Terra –160

comparecimento do*às reuniões do Evangelho – 157

conservação das características mais agradáveis na Terra e – 160

cooperação da oração em favor do – 330

cremação e sofrimento do – 151

ecos de sensibilidade entre o*e o corpo – 151

éter e – 20

inimigos na Terra e – 158

lei das afinidades e – 178

opiniões acusatórias e sofrimento do – 341

palavra amiga e confortadora dos entes da Terra e – 157

processo utilizado para comunicação do – 157

Espírito encarnado

carência de iluminação evangélica e – 231

Espírito enfermo

corpo doente, reflexo do – 96

Espírito evolvido

desenvolvimento do embrião do corpo e – 29

Espírito rebelde

desenvolvimento do embrião do corpo e – 29

Espírito Santo

legião de Espíritos redimidos e – 312

pecado contra o – 303

Índice geral

Espírito superior
ligação do*com seres amados na Terra – 329
saudade e – 329

Esporte
viciação da fonte do – 127

Esquecimento do passado
reencarnação e – 340

Estatística
função da – 69

Esterilidade
prova e – 40

Éter
compreensão do – 20
Espíritos desencarnados e – 20
fluido essencial do universo e – 20
fluido sagrado da vida e – 20
veículo do pensamento divino e – 20

Eucaristia
verdadeira*evangélica – 318

Eunuco
conceito de – 331
consequências benéficas e – 331
instrumentos da verdade e do bem e – 331
permissão de Jesus e – 331
Reino dos céus e – 331
vida de ascetismo e disciplina e – 331

Eutanásia
direito à prática da – 106
moléstias incuráveis e – 106

Evangelho
alegrias da via humana e – 242
amor a nós mesmos e – 351
edifício da redenção das almas e – 282
fonte de iluminação do íntimo e – 219
fonte de renovação da escola educativa do lar e – 112
homem espiritual do futuro e – 62
inumação do – 264
leitura do*nos círculos familiares – 280
melhor tradução da fonte original e – 321
missão de João, apóstolo, na organização do – 284
missão universalista e – 285
parábolas e – 290
posição do*na educação religiosa dos homens – 282
problemas do trabalho e – 57
revelação do amor e – 271
roteiro da alma e – 321
roteiro para a ascensão dos Espíritos e – 225
símbolos do – 304

Evangelização
benefício da*para os Espíritos desencarnados – 378

Índice geral

Evocação
  contraindicação da*direta e pessoal – 369

Evolução
  ciclo da – 21
  ideia de*e verdades do Espiritismo – 41

Evolução anímica
  etapas da – 16

Expiação
  diferença entre provação e – 246

F

Faculdade
  atributo da individualidade espiritual e – 37

Família espiritual
  afinidades da alma e – 177
  mentor e – 177
  plano espiritual e – 176
  unificação divina e – 176

Família humana
  luz espiritual e era nova da grande – 54

Fé
  cessação do egoísmo humano e – 380
  definição de – 354
  desvirtuamento da – 200
  disciplinamento da*pela fé – 169
  divina claridade da certeza e – 257
  dúvida raciocinada e – 356
  esperança e – 257
  Espírito encarnado e – 359
  Espíritos desencarnados e – 358
  eterno ideal divino e – 170
  fenômeno e edificação da*sincera – 390
  paciência e heroísmo domésticos e*em Deus – 189
  revelações do plano superior e – 357
  sacerdotes e permuta da luz da – 207
  sentimento, raciocínio e – 355
  razão sem – 199

Fecundidade
  prova e – 40

Felicidade
  construção da verdadeira – 60
  determinação divina e – 134
  inexistência da*sonhada pelo homem – 240
  Jesus e segredo da*espiritual – 286
  rememoração do bem e – 341

Fenômeno mediúnico
  intensificação das sessões de – 371

Fenômeno premonitório
  presciência com relação ao futuro e – 144
  sonho e – 49

Fenômeno psíquico
  cartomancia e – 145

Índice geral

Fenômeno químico
 criação do – 3
Fetiche
 luta contra o – 143
Filho rebelde
 procedimento dos pais e – 190, 191
Filosofia
 integração da Ciência com a – 201
 súmula das atividades evolutivas do Espírito e – 115
Filtragem mediúnica – nota à 1. ed., nota
Física
 função da – 2
 leis universais e noções modernas da – 17
 lógica com Deus e – 18
 magnetismo e princípios da – 26
 plano divino da evolução e – 21
 plano espiritual e conhecimentos atuais da – 17
 reconhecimento da existência de Deus e – 18
 valores da Ciência material e – 2
Fluido(s)
 éter,*sagrado da vida – 20
 homem e criação do*da vida – 11
 interpenetração de*e embrião humano – 32
 movimentação de*maléficos – 396

Fortuna
 caminho de experiências e provas e – 66
Fraternidade
 abnegação e – 350, 351
 chave da*cristã – 345
 conceito de – 349
 igualdade e – 349
 indiferença dos homens e*sincera – 348
 leis da*e missão do Espírito – 343
 lutas da vida e*evangélica – 346
 manifestação da*por meio da oração – 158
 santuário eterno da*universal – 79
Frigorífico
 necessidade do – 129
Futuro
 fenômeno premonitório e – 144
 homem espiritual do – 62

G

Genes
 combinação de*e faculdades e vocações do homem – 37
Genética
 melhoramento do homem e – 36
Geneticista
 incógnitas inesperadas e – 35

Índice geral

Gênio
    considerações sobre – 164
    glorificação do*depois da morte – 164
    visão espiritual do – 164

Ginástica
    viciação da fonte da – 127

Graça
    Deus e concessão da – 227

Grupo espírita
    dissensões, lutas internas e – 363

Guerra
    enfermidade do organismo social e – 55

Guia espiritual
    afastamento da alma do trabalho e – 226
    espírita e ação do – 364
    iluminação pessoal e – 226
    impossibilidade de influenciação na liberdade e – 133
    modificação da lei das provações e – 105
    realizações humanas e auxílio do – 194
    repetição de queixas e – 196

H

Hanseniano
    Jesus e cura do – 101

Herói
    falsos julgamentos da história e – 82

Hidrogênio
    elemento mais simples de todos e – 4

História
    falsos julgamentos da – 82
    historiadores e juízos falsos da – 83

Homem espiritual
    domínio do*sobre o homem físico – 97

Homem(s)
    adiamento da edificação nas lições renovadoras do Evangelho e – 293
    alimentação com a carne dos animais e – 129
    aprendizado da Química e – 3
    aquisição de patrimônios artísticos e – 171
    Bíblia e símbolos para a educação religiosa do – 275
    capacidade intelectual do – 205
    centro de paternal amor e – 111
    comportamento dos*educados na Terra – 136, 137
    conceituação da matéria e – 19
    consideração dos valores morais do – 143
    controle dos fenômenos meteorológicos pelos – 76
    cooperação dos prepostos de Jesus e – 3
    criação das belezas do Céu e – 227
    criação do fluido da vida e – 11
    cristianização do*e condição de pedinte – 256

Índice geral

definição do materialismo e – 144

demonstração ao*de sua posição de humildade – 205

dispensa da razão e – 221

Espíritos amigos e*de sorte – 215

estado de espírito do*moderno – 68

Evangelho e*espiritual do futuro – 62

forças do plano espiritual e – 3

genética e melhoramento do – 36

identificação do*medíocre – 212

igualdade absoluta de direitos do – 56

incapacidade intelectual do – 205

inexistência da felicidade sonhada pelo – 240

influência do nome na vida do – 141

influência dos astros na vida do – 140

influência oculta de certos objetos e – 143

invenção do inferno e – 227

lar e edificação do – 109

ligação do*com seu pretérito espiritual – 116

limite nas observações do – 19

maior necessidade do – 232

necessidade de cristianização do – 57

noção de pátria e – 54

obstáculos anteposto pelo*aos mentores – 125

ódio e evangelização espiritual do – 339

origem do mal e – 135

oxigênio e manutenção da vida orgânica do – 13

posição do Evangelho na educação religiosa dos – 282

processo criminal em face da lei dos – 64

questões proletárias e – 57

razão e – 79

redenção do*espiritual – 225

revelação divina e posição evolutiva do – 271

sentimento e iluminação do – 221

trabalho imediato e iluminação interior do – 255

usufrutuário das graças divinas e – 257

Velho Testamento e educação religiosa do – 267

verdadeira edificação pessoal do – 211

Honra

traço do aperfeiçoamento espiritual e – 216

Hospital

recolhimento da alma para meditação e – 101

utilidade do*espírita – 107

Humanidade

analogia da*terrestre com outros orbes – 73

conceito de – 73

Índice geral

Israel, símbolo da – 262
Jesus, divino amigo da – 174
sacrifício no altar do coração e – 311

I

Idoso
  estudos evangélicas e – 223
Ignorância
  enfermidade do organismo social e – 55
  obsessor terrível do homem e – 381
Igreja Romana
  desvio do sentido sagrado da lição de Jesus e – 297
  edificações de pedra e – 255
  fetichismos e – 298
  interpretação da missa e – 300
  Santíssima Trindade e – 264
  tentativa de subversão dos textos primitivos e – 273
  venda dos sacramentos e – 297
Iluminação
  almas desencarnadas e serviço de*própria – 224
  análise pela razão e*espiritual – 221
  cultivo da flor da*íntima – 229
  diferença entre crença e – 220
  Espírito encarnado e carência de*evangélica – 231
  guias espirituais e*pessoal – 226
  idade para o serviço de*espiritual – 223
  trabalho de*da própria alma – 230
  trabalho imediato e*interior do homem – 255
Imprensa
  órgão de escândalo para a comunidade e – 206
Incredulidade
  provação e – 251
  Individuação química
  lei de progresso e – 7
  primeiras expressões anímicas e – 7
  processo de transformação e – 9
Infância
  edificação das bases da vida e – 189
Inferno
  homem e invenção do – 227
  invenção de um*mitológico – 332
Influenciação espiritual
  liberdade do homem e – 133
Inimigo
  Espírito desencarnado e*na Terra – 158
  perseguição do*espiritual – 159
Intelectualidade
  expressão de*e valores do sentimento – 212
Inteligência
  desenvolvimento espiritual e – 119

Índice geral

experiências do Espírito e – 117

provação da – 208

sede da * humana – 48

Inteligência divina *ver* Deus

Intuição

desenvolvimento da – 122

Israel

respeito e amor ao povo de – 263

símbolo de toda a humanidade e – 262

J

Jesus

aperfeiçoamento do homem e prepostos de – 3

atribuição do título de discípulo e – 257

atuações do plano espiritual e – 159

base imortal de todos os ensinos de – 294

calvário e sacrifício de – 286

compreensão dos ensinamentos de – 303-312

cura do hanseniano e – 101

Dez Mandamentos, Os, e emissários de – 269

diretor angélico da Terra e – 283

divino Amigo da humanidade e – 174

divino escultor da obra geológica e – 85

dor moral e – 287

dor material e – 287

espada renovadora e – 304

Espiritismo, Consolador Prometido por – 352

estudo psicológico de – 287

evolução de – 243

fenômenos meteorológicos e prepostos de – 76

finalidade dos gloriosos destinos do Espírito e – 327

governo espiritual da Terra e – 243

Igreja romana e desvio do sentido sagrado da lição de – 297

João, apóstolo, e revelação de * divino – 284

lavagem dos pés dos discípulos e – 314, 315

mãe de *, símbolo das virtudes cristãs – 189

mais perfeita expressão do Verbo e – 261

novas terras descobertas após a vinda de – 89

pensamento divino dos prepostos de – 12

perfeita identidade de * com Deus – 288

prejuízos do mal e – 135

primeira revelação e – 242

primórdios da organização planetária e – 6

pureza indispensável para a contemplação de – 289

Índice geral

reflexos da palavra de*para a alma – 258

segredo da felicidade espiritual e – 286

Simão, o cireneu, e – 316

síntese do amor divino e – 327

Sois deuses e compreensão da afirmativa de – 302

transfiguração de – 310

transformação dos ensinos de*em política administrativa – 264

João Batista, precursor

João, apóstolo

  interpretação da afirmativa de – 312

  interpretação das sentenças de – 309

  missão de*na organização do Evangelho – 284

  revelação de Jesus divino e – 284

  simbolismo evangélico do enunciado de – 308

Judaísmo

  cultivo do monoteísmo e – 263

  missão da revelação do Deus único e – 263

Judas

  misericórdia da justiça divina e – 319

Julgamento

  discernimento e – 63

  discernir o bem e o mal sem – 63

Justiça divina

  culpado arrependido e – 336

L

Lar

  bases do sentimento e do caráter e – 110

  edificação do homem e – 109, 110

  escola de preparação da alma e – 110

  fonte de renovação da escola educativa do – 112

  Jesus e escola educativa do – 112

  maioridade e educação no – 109

  refazimento do – 110

  transviamento de um dos cônjuges no – 188

Lavagem dos pés dos discípulos

  Jesus e – 314

Lázaro

  ressurreição de – 317

Lei da expiação

  inflexibilidade e – 247

Lei da prova

  inflexibilidade e – 247

Lei das afinidades

  Espíritos desencarnados e – 178

Lei das provas

  distribuição dos benefícios divinos e – 245

Lei de equilíbrio

  sede da – 23

Lei de evolução

  valores espirituais e – 7

Índice geral

Lei de fluidos
  organização planetária e – 23

Lei de progresso
  individuação química e – 7

Lei de talião
  anulação da – 335
  significado da – 272

Lei de unidade
  universo e – 22

Lei do amor
  determinismo divino e – 135
  suicídio e – 154

Leis da genética
  agentes psíquicos e – 35

Leis da gravitação
  características das*nos diversos planetas – 24

Leis divinas
  missão da mulher e – 109

Leis dos homens
  processo criminal em face das – 64

Leis físicas
  Espíritos encarregados da execução das – 15

Leis universais
  noções modernas da física e – 17

Liberdade
  artistas e excessos nocivos à – 165
  guia espiritual e impossibilidade de influenciação na – 133

retribuição da confiança de Deus e – 134

Livre-arbítrio
  característica e – 132
  determinismo e – 132

Livro dos espíritos, O
  nota à 1. ed.

Lógica
  função da – 69

Loucura
  obsessão e – 395
  oração, vigilância e – 51
  provação, expiação e – 51

Luz espiritual
  era nova da grande família humana e – 54
  novo conceito de pátria e – 54

M

Má vontade
  obsessor terrível do homem e – 381

Mãe
  bom conselho sem parcialidade e – 189
  controle das atitudes dos filhos e – 189
  estímulo ao trabalho e – 189
  expoente divino da compreensão espiritual e – 189
  fonte de harmonia e – 189

Índice geral

gloríolas efêmeras da vida material e – 189

luz para o caminho dos filhos e – 189

preparação dos filhos para o trabalho e – 189

respeito pelo infortúnio alheio e – 189

sacrifício pela paz dos filhos e – 189

tolerância e energia no processo da educação e – 189

Magnetismo

características do * no intercâmbio mediúnico – 26

fenômeno da vida e – 26

princípios da Física e – 26

Magnetismo pessoal

preocupação de aquisição dos elementos do – 213

Mal

atitude mental e esquecimento do – 187

esquecimento do erro e exterminação do – 341

origem do – 135

Manifestação mediúnica

provocação de – 368

Matadouro

necessidade do – 129

Matemática

função da – 69

Matéria

condensação da * cósmica – 21

conversão da * em força – 17

dissociação da – 17

fases de caracterização da – 16

fonte de energia e – 10

homem e conceituação da – 19

radioatividade e evolução da – 9

vibração da – 18

Materialismo

homem, definição do – 144

inutilidade das definições do – 15

Matrimônio

provas expiatórias e * na Terra – 179, 188

Mecânica celeste

irrefutabilidade da teoria do movimento e – 18

Medicina terrestre

planos espirituais e – 94

Médico

apóstolo da Providência divina e – 94

Mediocridade

modificação do conceito de – 212

Meditação

recolhimento da alma no hospital para – 101

Médium

apoio de um * para socorro de outro – 400

conversão de descrentes e – 390

cultivo da autoevangelização e – 410

Índice geral

cura do*obsidiado – 394

dependência dos guias espirituais e – 392

desvio das faculdades psíquicas e – 403

desvirtuamento da tarefa do – 405

deveres familiares e – 404

dispensa dos estudos e – 392

especialização da tarefa mediúnica e – 388

fanatismo religioso e – 404

fenômeno de incorporação e sofrimento do – 397

finalidade útil da mistificação e – 401

influência de entidades perturbadoras e – 398

maior necessidade do – 387

mistificações, extravagâncias doutrinárias e – 392

necessidade de iluminação e – 409

primeiro inimigo do – 410

provocação de fenômenos e – 390

sacrifício das obrigações familiares e – 404

segundo inimigo do – 410

submissão do*a toda sorte de experiências – 406

tarefa definida e – 383, 385

tarefa do*na sessão espírita – 374

utilidade do*na reunião doutrinária – 375

Mediunidade

atributo do Espírito e – 382

definição de – 382

desenvolvimento da – 384

especialização e – 388

grau de*do homem – 383

indicação de*mais preciosa – 386

irracionais e – 391

remuneração financeira e – 402

retirada da – 389

Mediunismo

ações teledinâmicas e – 25

falta de educação psíquica e – 397

privilégios e – 385

Memória

vibrações gravadas na*do Espírito – 126

Mendelismo

fenômenos inexplicáveis e – 38

Mentalidade sadia

realidade da – 127

Mentira

conceito de – 192

desenvolvimento dos Espíritos e – 192

Mentor espiritual

organização de fatos premonitórios e – 144

Mestre

ver Jesus

Índice geral

Metades eternas
nota à 1. ed.

Meteorologia
controle dos fenômenos da*pelos homens – 76
prepostos de Jesus e – 76

Método racionalista
aplicação do – 202

Mineral
atração e – 79

Miséria
enfermidade do organismo social e – 55

Moisés
bases da Lei divina e imutável e – 271
ditado dos Dez Mandamentos e – 269
faculdades mediúnicas e – 269
intenção de*no *Deuteronômio* – 274
legítimo emissário do plano superior e – 270
missão da justiça e – 271
Velho Testamento e – 269

Moléstia coletiva
eliminação da – 55

Morte
chegada da hora da – 153
fatalidade no instante da – 146
glorificação do gênio depois da – 164
perturbações do espírita depois da – 150
preparação para as emoções da – 156
provocação da comunicação de ente querido depois da – 380
receio da – 155

Morte natural
enfermidades dolorosas e prolongadas e – 152

Morte violenta
sensações dolorosas à alma e – 152

Movimento
geração do – 18
mecânica celeste e irrefutabilidade da teoria do – 18

Movimento browniano
fenômenos rudimentares da vida e – 5
manifestações de espiritualidade e – 5

Movimento feminista
interpretação do – 67

Mulher
divina missão da maternidade espiritual e – 111
missão da*perante as leis divinas – 109

Mundo
eixo imaginário e demonstração do sistema do – 18
julgamento insincero do – 82

Índice geral

Músico
 impulso das forças do infinito e – 167
 influência do *nobre nas almas – 167
 lembranças de existência anterior e – 167

Natureza
 compreensão da – 27
 expressões diversas da – 12
 livro divino e – 27
 manifestação de vida nos reinos da – 28
 molde preexistente das formas da – 85
 prepostas de Jesus e – 12
 solidariedade nos departamentos da – 79

Novo Testamento
 símbolos e – 89

Numerologia
 cogitações espirituais e – 142

Nutrição
 estado expiatório da alma e – 13
 problema básico da – 13

Obsessão
 cura e – 393
 loucura e – 395
 prova e – 393

Obsessor
 denominação de *terrível do homem – 381

Ódio
 algema dos forçados no cárcere da desventura e – 158
 aversões instintivas e – 339
 conversão do *em amor e piedade – 158
 gérmen do amor e – 339

Ofensa
 provação e – 252

Oração
 construção da própria fortaleza e – 53
 cooperação da *em favor do Espírito desencarnado – 330
 Espíritos falsamente canonizados e recepção da – 84
 maior fator de resistência moral e – 245
 manifestação da fraternidade por meio da – 158
 necessidade permanente de vigilância e – 146
 novo gênero de – 381

Organismo material
 transformação do – 14

Organismo social
 enfermidades do – 55

Orgulho
 obsessor terrível do homem e – 381

Oxigênio
 dádiva de Deus e – 13

Índice geral

manutenção da vida orgânica do homem e – 13

Ozônio
disposição dos revestimentos de – 13
função do – 13

P

Paciência
exemplificação e – 253
heroísmo e*domésticos e fé em Deus – 189

Pais
mestres da educação sexual e – 111
virtude da resignação dos*de família – 212

Pais espíritas
educação religiosa e – 113
obrigações sagradas e – 113

Paixão(ões)
Deus e extermínio das – 184
exterminação das*e iluminação da alma – 230
política rasteira e – 81
sagrado liame do Espírito e – 34

Palavra
importância da*humana – 124
simbologia sagrada da – 141

Passe
conceito de – 98, 99
fórmula para doação e recepção do – 98

Pastor de Israel
ver Jesus

Patogenia
conceito de – 96

Pátria
homem e noção de – 54
vida bem aplicada e honra à – 54

Paz
amigo, emissário da ventura e da – 174
mãe e sacrifício pela*dos filhos – 189
pregação da*e construção de canhões – 199

Pedinte
cristianização do homem e condição de – 256

Pedro, apóstolo
significado da negação de – 320

Pensamento
efeito do*de natureza inferior – 53
efeito do bom – 53
éter, veículo do*divino – 20
provas rudes e renovação do – 109

Percepção humana
origem da – 19

Percepção psíquica
irracionais e*embrionária – 391

Índice geral

Perdão
condição para concessão do – 334
esclarecimento do erro e – 334
esquecimento e – 340
exigência de reconhecimento e – 335
necessidade do – 158, 332
oportunidade da reencarnação e – 333
setenta vezes sete e – 338
significado da palavra – 340

Período infantil
liberdade religiosa e – 113
pais espíritas e educação religiosa no – 113
princípios educativos e – 109
recordações do plano espiritual e – 109

Personalidade
atitudes que a sociedade humana reclama da – 216
compreensão da – 211
dissimulação da verdadeira posição moral da – 178
homem de – 211
necessidades da * espiritual – 233
poderes da * espiritual – 205

Piedade
conversão do ódio em amor e – 158

Planeta *ver* Terra

Plano espiritual
árvore genealógica e – 34
conceito de saúde e – 95
conhecimentos atuais da Física no – 17
cooperação do * para edificação dos valores legítimos – 80
família espiritual e – 176
homem e auxílio das forças do – 3
interpretação do ciúme no – 183
Jesus e atuações do – 159
leis do esforço próprio e – 101
lugares de penitência e – 244
mensageiros do * e agentes psíquicos – 35
patrimônio da cultura terrestre no – 197
período infantil e recordações do – 109
perseverança dos elementos de aversão e – 158
posição intelectiva da Terra e – 206
responsabilidade do homem nos cargos públicos e – 65
retomada no * das características anteriores à reencarnação – 160
zelo do * pela Zoologia – 78

Plano invisível
ver Plano espiritual

Pobre de espírito
significado da expressão – 313

Pobreza
    enfermidade do organismo social e – 55

Política do mundo
    comportamento do espírita perante a – 60
    falso julgamento e – 84
    situação de evidência do espírita na – 60

Político
    entronização do * que ultraja o direito – 212

Prece *ver* Oração

Preguiça
    obsessor terrível do homem e – 381

Princípio espiritual
    evolução do – 86

Processo mental
    psicologistas humanos e – 47

Profecias
    Israel e a palavra das – 262

Professor
    iluminação do coração e – 111
    instrução do intelecto e – 111

Profeta
    inspiração de Jesus e – 276
    missionários de Deus e * antigo – 277
    retorno do * de Jesus à esfera material – 280

Profetismo
    diferença entre * e sacerdócio – 279

Progresso
    observação do * humano – 74
    valores imprescindíveis para o * da alma – 204

Prosélito
    propaganda doutrinária para multiplicação do – 218, 390

Protoplasma
    células e – 6

Prova expiatória
    matrimônio na Terra e – 179

Provação
    comoções da Terra e * coletiva – 88
    diferença entre expiação e – 246
    processo da * coletiva – 250
    processos de cura e – 101

Psicanálise freudiana
    aproximação entre Psicologia e Espiritismo e – 45

Psicologia
    anormalidades psicológicas e – 44
    aproximação entre Espiritismo e – 45
    conquistas da Ciência intelectual e – 2
    função da – 2
    subsconsciência e * oficial – 45

Purificação
    analogia entre a * da Terra e o lírio alvo – 229

Q

Índice geral

Questão proletária
  homens e – 57
Química
  estudo da – 4
  função da – 2
  homem e aprendizado da – 3
  valores da Ciência material e – 2
Química biológica
  característica da – 8
  diferença entre química industrial e – 8
  fixação das espécies e – 12
  manipulação dos valores da – 12
Química industrial
  característica da – 8
  diferença entre química biológica e – 8
Química orgânica
  combinações naturais da – 12

R

Raça
  substituição da*pela alma – 54
Racionalismo
  cultura terrestre e – 198
  evolução da Terra e – 198
Racismo
  política do – 61
Radioatividade
  evolução da matéria e – 9

Ramsay, professor
  revelações científicas, átomos, elétrons e – 16
Razão
  análise pela*e iluminação espiritual – 221
  desequilíbrio da*por ausência do sentimento – 221
  dispensa da fé e – 199
  origem dos desvios da*humana – 200
  sentimento e – 198
Reeducação
  esforço próprio e*sentimental – 221
Reencarnação
  condição para concessão da – 333
  desigualdade social e – 55
  esquecimento do passado e – 340
  estação de tratamento e de cura e – 96
  início da – 31
  magnanimidade da Lei e – 333
  oportunidade da*e perdão – 333
  quebra-luz sobre as conquistas anteriores do Espírito e – 205
  resgate de débitos e – 332
  vocação e – 50
Reforma
  correntes protestantes oriundas da – 295
  missão especial da – 295

Índice geral

Reino da natureza
  manifestações de vida no – 28

Reino de Deus
  profecias e edificação do – 89

Reino hominal
  conquista da situação de angelitude e – 79

Religião
  conceito de – 260, 292
  missão da*antes de Jesus – 293

Remorso
  arrependimento e – 182
  conceito de – 182
  etapa inicial da obra de redenção e – 244

Repouso dominical
  substituição do*pelo sábado antigo – 130

Represália
  chaga viva no coração e – 337

Resgate
  mecanismo de – 135

Responsabilidade
  mecanismo de*da consciência esclarecida – 134
  sorte, prova de*no mecanismo da vida – 215

Reunião de estudo
  importância da*e evangelização – 156

Reunião doutrinária
  utilidade dos médiuns e – 375

Revelação
  aspectos essenciais da grande – 271

Revelação divina
  posição evolutiva do homem e recepção da –271

Rutherford, professor
  revelações científicas, átomos, elétrons e – 16

S

Sabedoria
  asa da alma para a perfeição infinita e – 204

Sacerdócio
  defecção do – 200
  diferença entre*e profetismo – 279
  permuta da luz da fé pela situação econômica e – 207

Sacerdote
  invenção das fórmulas políticas e – 294
  invenção dos manuais teológicos e – 294
  invenção dos princípios dogmáticos e – 294
  misericórdia da justiça divina e*maldoso – 319

Sacrifício
  santificação e iluminação da alma e – 188

Índice geral

Salvação
  alma e – 225
  conceito de – 225

Sangue
  precariedade dos laços de – 342
  substituição dos vínculos de*pela atração dos sentimentos – 34

Santíssima Trindade
  Espiritismo e – 264
  Igreja Romana e – 264

Saúde
  conceitos de – 95
  conservação da*da alma – 97
  homem e tratamento da*do corpo – 97

Seleção natural
  fixação das espécies e – 12

Sensibilidade afetiva
  indiferença nas manifestações de – 180

Sentimento
  asa da alma para a perfeição infinita e – 204
  cristalização do – 180
  desequilíbrio da razão por ausência do – 221
  disciplina do*egoístico e iluminação da alma – 230
  iluminação do homem e – 221
  razão e – 198

Sessão espírita
  considerações sobre – 372-374, 376

Sexo
  aquisição de débitos penosos e – 184
  compreensão sagrada do – 184

Shakyamuni
  profeta de Jesus e – 278

Simão, o cireneu
  Jesus e – 316

Simpatia
  edificação do coração para o trabalho e – 173
  raízes profundas da – 173

Sinais de nascença
  interpenetração de fluidos, embrião humano e – 32

Sistema planetário
  singeleza do – 71

Socialismo
  extremismo e – 57

Sociedade humana
  atitudes que a*reclama da personalidade – 216

Sociologia
  conceito de igualdade absoluta e – 56
  conquistas da Ciência intelectual e – 2
  Espiritismo, iniciador da – 59
  função da – 2

Índice geral

papel especial do Espiritismo junto da – 59

Sócrates

profeta de Jesus e – 278

Soddy, professor

revelações científicas, átomos, elétrons e – 16

Sofrimento

buril oculto e – 191

dor-realidade e – 239

Espíritos inveterados e*eterno – 244

Sois deuses

compreensão da afirmativa de Jesus e – 302

Sol

comparação da Terra com o – 71

comparação de Capela com o – 71

esgotamento das energias do – 14

vida planetária e – 10

Solidariedade

sentimento de*nos departamentos da natureza – 79

Sonambulismo

sonho e – 49

Sonho

conceito de – 49

fenômenos premonitórios e – 49

sonambulismo e – 49

visões proféticas e – 49

Sorte

prova de responsabilidade no mecanismo da vida e – 215

Subconsciência

lembranças vagas de vocações inatas e – 205

reservatório profundo das experiências do passado e – 45

Suicídio

atentado contra a luz divina e – 146

determinação prévia da desencarnação e – 146

existência de*lento e gradativo – 146

falso heroísmo e – 154

impressões dos que desencarnam por – 154

mapa de provas e – 146

negação da lei do amor e – 154

prova das tentações ao – 252

T

Talento

desbaratamento do*divino – 134

Talismã

influência do*da felicidade pessoal – 214

Teledinamismo

aplicação do – 25

Tempo

contagem e valorização do – 14

Índice geral

oportunidade para edificação do Espírito e – 14

Tentação

vigilância pessoal e queda em – 217

Teologia

princípios do politeísmo romano e – 264

Teratologia

causas da – 39

Texto sagrado

matador diante do – 62

Thomson, professor

revelações científicas, átomos, elétrons e – 16

Terra

analogia entre a purificação da* e o lírio alvo – 229

comoções geológicas e – 88

comparação do Sol com a – 71

concepção das formas de vida na – 85

difusão do livro e do jornal na – 206

escola de fraternidade e – 3347

escola de provações e de burilamento e – 171

etapas evolutivas e – 86

evolução das artes gráficas na – 206

Jesus, diretor angélico da – 283

ligação do Espírito superior com seres amados na – 329

morte térmica da – 14

origem das sustâncias da – 4

origem dos elementos formadores da – 87

perspectivas da* em relação a outros planetas – 72

posição da* em relação aos outros mundos – 71

provas expiatórias e matrimônio na – 179

situação das almas gêmeas na – 328

Todo-Poderoso

ver Deus

Tônus vital

ecos de sensibilidade entre o Espírito desencarnado e o corpo e – 151

Toque da alma

significado da expressão – 222

Tormento físico

dor-ilusão e – 239

Trabalho

problemas do* e equação de Evangelho – 57

U

Universidade

formação do cidadão e – 110

Universo

éter, fluido essencial do – 20

homem e notícias imperfeitas do – 19

lei de unidade e – 21

Índice geral

V

Vaidade
obsessor terrível do homem e – 381

Vegetal
sensação e – 79

Velho Testamento ver também Antigo Testamento dias da Criação e – 266
educação religiosa do homem e – 267
fonte-máter da Revelação divina e – 267
leitura do* nos círculos familiares – 280
pedra angular da Revelação divina e – 282
símbolos e – 89

Veneno moral
antídoto do – 165

Verdade
conceito de – 193
critério amoroso na distribuição dos bens da – 193
homem e* relativa – 193
progresso espiritual e – 193

Verdade espiritual
unidade substancial e – 4

Viagem interplanetária
possibilidade de – 74

Vida
cólera, recordação dos primórdios da* humana – 181
criação da – 11
criação do fluido da – 11
éter, fluido sagrado da – 20
eterno presente e – 14
Evangelho e alegrias da* humana – 242
fenômeno da* e célula orgânica – 8
forças embrionárias da – 10
magnetismo, fenômeno da – 26
manifestações de* nos reinos da natureza – 28
manifestações iniciais da* na Terra – 12
morte do corpo e extinção da – 154
primórdios da* planetária – 12
suicídio, maior desvio da* humana – 154

Vida de além-túmulo
comportamento do homem desencarnado na – 148
encontro com os entes queridos na – 149
preparação para a – 148
primeiros tempos da – 148

Vida material
mãe e gloríolas efêmeras da –189

Vida mental
cinco sentidos e – 42

Índice geral

Vida orgânica
  oxigênio e manutenção da*do homem – 13

Vidas passadas
  investigação de – 370

Vigilância
  necessidade permanente de oração e – 146

Virtude
  aquisição do Espírito e – 253
  mãe de Jesus, símbolo da*cristã – 189

Visão espiritual
  gênio e – 164

Visão profética
  sonho e – 49

Vocação
  atributo da individualidade espiritual e – 37
  conceito de – 50
  reencarnação e – 50

Z

Zoologia
  zelo do plano espiritual pela – 78

O QUE É ESPIRITISMO?

O ESPIRITISMO É UM CONJUNTO DE PRINCÍPIOS E LEIS revelados por Espíritos Superiores ao educador francês Allan Kardec, que compilou o material em cinco obras que ficariam conhecidas posteriormente como a Codificação: *O livro dos espíritos*, *O livro dos médiuns*, *O evangelho segundo o espiritismo*, *O céu e o inferno* e *A gênese*.

Como uma nova ciência, o Espiritismo veio apresentar à Humanidade, com provas indiscutíveis, a existência e a natureza do Mundo Espiritual, além de suas relações com o mundo físico. A partir dessas evidências, o Mundo Espiritual deixa de ser algo sobrenatural e passa a ser considerado como inesgotável força da Natureza, fonte viva de inúmeros fenômenos até hoje incompreendidos e, por esse motivo, são tidos como fantasiosos e extraordinários.

Jesus Cristo ressaltou a relação entre homem e Espírito por várias vezes durante sua jornada na Terra, e talvez alguns de seus ensinamentos pareçam incompreensíveis ou sejam erroneamente interpretados por não se perceber essa associação. O Espiritismo surge então como uma chave, que esclarece e explica as palavras do Mestre.

A Doutrina Espírita revela novos e profundos conceitos sobre Deus, o Universo, a Humanidade, os Espíritos e as leis que regem a vida. Ela merece ser estudada, analisada e praticada todos os dias de nossa existência, pois o seu valioso conteúdo servirá de grande impulso à nossa evolução.

O LIVRO ESPÍRITA

Cada livro edificante é porta libertadora.

O livro espírita, entretanto, emancipa a alma nos fundamentos da vida.

O livro científico livra da incultura; o livro espírita livra da crueldade, para que os louros intelectuais não se desregrem na delinquência.

O livro filosófico livra do preconceito; o livro espírita livra da divagação delirante, a fim de que a elucidação não se converta em palavras inúteis.

O livro piedoso livra do desespero; o livro espírita livra da superstição, para que a fé não se abastarde em fanatismo.

O livro jurídico livra da injustiça; o livro espírita livra da parcialidade, a fim de que o direito não se faça instrumento da opressão.

O livro técnico livra da insipiência; o livro espírita livra da vaidade, para que a especialização não seja manejada em prejuízo dos outros.

O livro de agricultura livra do primitivismo; o livro espírita livra da ambição desvairada, a fim de que o trabalho da gleba não se envileça.

O livro de regras sociais livra da rudeza de trato; o livro espírita livra da irresponsabilidade que, muitas vezes, transfigura o lar em atormentado reduto de sofrimento.

O livro de consolo livra da aflição; o livro espírita livra do êxtase inerte, para que o reconforto não se acomode em preguiça.

O livro de informações livra do atraso; o livro espírita livra do tempo perdido, a fim de que a hora vazia não nos arraste à queda em dívidas escabrosas.

Amparemos o livro respeitável, que é luz de hoje; no entanto, auxiliemos e divulguemos, quanto nos seja possível, o livro espírita, que é luz de hoje, amanhã e sempre.

O livro nobre livra da ignorância, mas o livro espírita livra da ignorância e livra do mal.

Emmanuel[1]

---

1 Página recebida pelo médium Francisco Cândido Xavier, em reunião pública da Comunhão Espírita Cristã, na noite de 25 de fevereiro de 1963, em Uberaba (MG), e transcrita em *Reformador*, abr. 1963, p. 9.

LITERATURA ESPÍRITA

Em qualquer parte do mundo, é comum encontrar pessoas que se interessem por assuntos como imortalidade, comunicação com Espíritos, vida após a morte e reencarnação. A crescente popularidade desses temas pode ser avaliada com o sucesso de vários filmes, seriados, novelas e peças teatrais que incluem em seus roteiros conceitos ligados à Espiritualidade e à alma.

Cada vez mais, a imprensa evidencia a literatura espírita, cujas obras impressionam até mesmo grandes veículos de comunicação devido ao seu grande número de vendas. O principal motivo pela busca dos filmes e livros do gênero é simples: o Espiritismo consegue responder, de forma clara, perguntas que pairam sobre a Humanidade desde o princípio dos tempos. Quem somos nós? De onde viemos? Para onde vamos?

A literatura espírita apresenta argumentos fundamentados na razão, que acabam atraindo leitores de todas as idades. Os textos são trabalhados com afinco, apresentam boas histórias e informações coerentes, pois se baseiam em fatos reais.

Os ensinamentos espíritas trazem a mensagem consoladora de que existe vida após a morte, e essa é uma das melhores notícias que podemos receber quando temos entes queridos que já não habitam mais a Terra. As conquistas e os aprendizados adquiridos em vida sempre farão parte do nosso futuro e prosseguirão de forma ininterrupta por toda a jornada pessoal de cada um.

Divulgar o Espiritismo por meio da literatura é a principal missão da FEB, que, há mais de cem anos, seleciona conteúdos doutrinários de qualidade para espalhar a palavra e o ideal do Cristo por todo o mundo, rumo ao caminho da felicidade e plenitude.

CARIDADE: AMOR EM AÇÃO

SEDE BONS E CARIDOSOS: essa a chave que tendes em vossas mãos. Toda a eterna felicidade se contém nesse preceito: "Amai-vos uns aos outros". KARDEC, Allan. *O evangelho segundo o espiritismo*, cap. 13, it. 12.

A Federação Espírita Brasileira (FEB), em 20 de abril de 1890, iniciou sua *Assistência aos Necessitados* após sugestão de Polidoro Olavo de S. Thiago ao então presidente Francisco Dias da Cruz. Durante oitenta e sete anos, esse atendimento representava o trabalho de auxílio espiritual e material às pessoas que o buscavam na Instituição. Em 1977, esse serviço passou a chamar-se Departamento de Assistência Social (DAS), cujas atividades assistenciais nunca se interromperam.

Desde então, a FEB, por seu DAS, desenvolve ações socioassistenciais de proteção básica às famílias em situação de vulnerabilidade e risco socioeconômico. Fortalece os vínculos familiares por meio de auxílio material e orientação moral-doutrinária com vistas à promoção social e crescimento espiritual de crianças, jovens, adultos e idosos.

Seu trabalho alcança centenas de famílias. Doa enxovais para recém-nascidos, oferece refeições, cestas de alimentos, cursos para jovens, serviços de convivência e fortalecimento de vínculos para idosos e organiza doações de itens que são recebidos na Instituição e repassados a quem necessitar.

Essas atividades são organizadas pelas equipes do DAS e apoiadas com recursos financeiros da Instituição, dos frequentadores da Casa e por meio de doações recebidas, num grande exemplo de união e solidariedade.

Seja sócio-contribuinte da FEB, adquira suas obras e estará colaborando com o seu Departamento de Assistência Social.

O EVANGELHO NO LAR

Quando o ensinamento do Mestre vibra entre quatro paredes de um templo doméstico, os pequeninos sacrifícios tecem a felicidade comum.[1]

Quando entendemos a importância do estudo do Evangelho de Jesus, como diretriz ao aprimoramento moral, compreendemos que o primeiro local para esse estudo e vivência de seus ensinos é o próprio lar.

É no reduto doméstico, assim como fazia Jesus, no lar que o acolhia, a casa de Pedro, que as primeiras lições do Evangelho devem ser lidas, sentidas e vivenciadas.

O espírita compreende que sua missão no mundo principia no reduto doméstico, em sua casa, por meio do estudo do Evangelho de Jesus no Lar.

Então, como fazer?

Converse com todos que residem com você sobre a importância desse estudo, para que, em família, possam compreender melhor os ensinamentos cristãos, a partir de um momento de união fraterna, que se desenvolverá de maneira harmônica e respeitosa. Explique que as reflexões conjuntas acerca do Evangelho permitirão manter o ambiente da casa espiritualmente saneado, por meio de sentimentos e pensamentos elevados, favorecendo a presença e a influência de Mensageiros do Bem; explique, também, que esse momento facilitará, em sua residência, a recepção do amparo espiritual, já que auxilia na manutenção de elevado padrão vibratório no ambiente e em cada um que ali vive.

Convide sua família, quem mora com você, para participar. Se mora sozinho, defina para você esse momento precioso de estudo e reflexões. Lembre-se de que, espiritualmente, sempre estamos acompanhados.

Escolha, na semana, um dia e horário em que todos possam estar presentes.

O tempo médio para a realização do Evangelho no Lar costuma ser de trinta minutos.

---

[1] XAVIER, Francisco Cândido. *Luz no lar.* Por Espíritos diversos. 12. ed. 7. imp. Brasília: FEB, 2018. Cap. 1.

As crianças são bem-vindas e, se houver visitantes em casa, eles também podem ser convidados a participar. Se não forem espíritas, apenas explique a eles a finalidade e importância daquele momento.

O seguinte roteiro pode ser utilizado como sugestão:

1. Preparação: leitura de mensagem breve, sem comentários;
2. Início: prece simples e espontânea;
3. Leitura: *O evangelho segundo o espiritismo* (um ou dois itens, por estudo, desde o prefácio);
4. Comentários: breves, com a participação dos presentes, evidenciando o ensino moral aplicado às situações do dia a dia;
5. Vibrações: pela fraternidade, paz e pelo equilíbrio entre os povos; pelos governantes; pela vivência do Evangelho de Jesus em todos os lares; pelo próprio lar...
6. Pedidos: por amigos, parentes, pessoas que estão necessitando de ajuda...
7. Encerramento: prece simples, sincera, agradecendo a Deus, a Jesus, aos amigos espirituais.

As seguintes obras podem ser utilizadas nesse momento tão especial:

- *O evangelho segundo o espiritismo*, como obra básica;
- *Caminho, verdade e vida*; *Pão nosso*; *Vinha de luz*; *Fonte viva*; *Agenda cristã*.

Esse momento no lar não se trata de reunião mediúnica e, portanto, qualquer ideia advinda pela via da intuição deve permanecer como comentário geral, a ser dito de maneira simples, no momento oportuno.

No estudo do Evangelho de Jesus no Lar, a fé e a perseverança são diretrizes ao aprimoramento moral de todos os envolvidos.

FEB editora
Livro espírita para um novo mundo
www.febeditora.com.br
@febeditoraoficial
@febeditora

Conselho Editorial:
Carlos Roberto Campetti
Cirne Ferreira de Araújo
Evandro Noleto Bezerra
Geraldo Campetti Sobrinho – Coord. Editorial
Jorge Godinho Barreto Nery – Presidente
Maria de Lourdes Pereira de Oliveira
Miriam Lúcia Herrera Masotti Dusi

Produção Editorial:
Elizabete de Jesus Moreira

Revisão:
Jorge Leite
Paola Martins da Silva

Capa e Projeto Gráfico:
Ingrid Saori Furuta

Diagramação:
Luisa Jannuzzi Fonseca

Foto Capa:
www.istockphoto.com/Milk122

Normalização Técnica:
Biblioteca de Obras Raras e Documentos Patrimoniais do Livro

Esta edição foi impressa pela Viena Gráfica e Editora Ltda., Santa Cruz do Rio Pardo, SP, com tiragem de 3 mil exemplares, todos em formato fechado de 140x210 mm e com mancha de 94x160 mm. Os papéis utilizados foram o Off white bulk 58 g/m² para o miolo e o Cartão 250 g/m² para a capa. O texto principal foi composto em fonte Adobe Garamond Pro 12/15,3 e os títulos em District Thin 20/20. Impresso no Brasil. *Presita en Brazilo.*